パラグアイに伝わる
虹色のレース

ニャンドゥティ
El ñandutí del Paraguay

伝統の模様と作り方

岩谷 みえ エレナ

誠文堂新光社

はじめに

　私がニャンドゥティに出会ったのはパラグアイで暮らしていた子どもの頃でした。アスンシオンで植木の仕事をしていたおじの大きな家で見たのが最初でした。なんと華やかな編みものなんだろうと大変驚き、わくわくして見とれていたことを覚えています。いつか自分で作ってみたいと思っていましたが、私の住む農村では習う機会にめぐりあわずに時が過ぎました。そんな私が、本格的にニャンドゥティを習い始めたのは、パラグアイを離れて日本に来たことがきっかけでした。改めて自分の国の文化や伝統のすばらしさに気付き、ニャンドゥティを知ってもらいたい、ニャンドゥティを育んだパラグアイの文化や自然、温かい国民性を日本の方々に知ってもらいたいと強く思うようになりました。

　ニャンドゥティには一つとして同じものがありません。伝統的なモチーフも何百という種類がありますが、同じモチーフでも職人さんによって特徴があります。編み手の個性が表現されるニャンドゥティの世界は奥が深く終わりがありません。

　この本では、代表的な円形モチーフの作り方をとりあげました。また、イタグアなど生産地の職人さんの姿を通じて、できるだけニャンドゥティを生んだパラグアイの文化や自然、人々の生活ぶりも楽しく知って頂けるように努めました。

　パラグアイのニャンドゥティの生産は、職人さんの高齢化や後を継ぐ若者の減少などの問題を抱えています。日本でニャンドゥティの魅力を知る方が増えることが、パラグアイのニャンドゥティ生産にとっても、よい影響をもたらすことになればとも願っています。そして、この本を手に取られるみなさまが、南米パラグアイの虹色のレースの魅力を十分に楽しんで頂けることを祈っております。一緒にニャンドゥティの世界に旅立ちましょう！（ブエン・ビアッヘ！）

　出版にあたり多くの方のお世話になりました。特に、忍耐強く私にお付き合い下さった編集の矢崎順子さん、ご協力下さった皆さまには心より感謝申し上げます。

岩谷 みえ エレナ

この度、岩谷　みえ　エレナさんがニャンドゥティを紹介する本を出版されることになり、心よりお祝いを申し上げます。

　グアラニー語で「蜘蛛の巣」を意味するニャンドゥティの起源については、グアラニー族の伝説など幾つかありますが、スペイン植民地時代に活躍したフランシスコ会士やイエズス会士などのキリスト教宣教師達の活動と共に発展したことは確かのようです。初期には白いレース編みであったものが、20世紀になってからは芸術性のあるカラフルで繊細なニャンドゥティとなりました。

　ところで、日本の古い伝統のある工芸品製作は長い年月と忍耐が必要なため後継者不足で問題になっていると聞いております。ニャンドゥティも日本の工芸品ほどではないにしても、やはり制作には経験と長い時間が必要で、またそれに見合う報酬が支払われないためでしょうか、これに従事する人口が減少傾向にあるようです。

　これからは、今まで以上に芸術的価値の高いニャンドゥティを編み上げ、その価値を世界で認められるよう皆で支えていくことを強く望みます。この意味でも、この紹介書がパラグアイとの関係が深い日本の人々の興味と理解を喚起する一助となることを祈念します。

駐日パラグアイ共和国特命全権大使
トヨトシ・ナオユキ

contents

パラグアイに伝わる虹色のレース、
ニャンドゥティのお話 6

伝統模様のモチーフ集 21

作り方1 / ニャンドゥティの基本　〜円形モチーフ〜 40
作品アイディア1 / ジャスミンと三角モチーフのピアス 64
作品アイディア2 / ジャスミンのコサージュ 66
作品アイディア3 / ニャンドゥティのオーナメント 67

パラグアイのお針子による
ニャンドゥティ作品集 68
ニャンドゥティのお針子たち 80

作り方2 / ウェボのドイリー 82
作り方3 / アラサペ、フィリグラナの模様 88
作品アイディア4 / ウェボ模様のつけえり 95
作品アイディア5 / ジャスミン模様のつけえり 98

図案 / 伝統模様のモチーフ 100
図案 / 円形モチーフ　土台の糸の図案 115

パラグアイってどんな国？ 118

奥付け 128

パラグアイに伝わる虹色のレース、ニャンドゥティのお話

南米の中心に位置するパラグアイで、
受け継がれてきたカラフルなレース。
色とりどりの細い糸と針が生み出す
鮮やかな伝統模様。
ニャンドゥティのふるさと、
パラグアイから、この美しいレースの魅力を
お届けします。

糊づけした大きな木枠のニャンドゥティを屋外で干しているところ。

パラグアイで誕生したニャンドゥティ

　ニャンドゥティは、パラグアイを代表する手工芸品です。その名前は、グァラニー語で「クモの巣」を意味します。細い綿の糸と針、木枠を使い、一針一針、様々な模様を織り上げて作るレースです。古くは、白糸の糸のみで作られていましたが、色糸が手に入るようになってからは、ふんだんに原色を使ったカラフルな色使いが特徴にもなっています。

　パラグアイで、ニャンドゥティが作られ始めた時期については、はっきりとしていませんが、16世紀頃から17世紀頃だという説があります。その頃、いくつかの先住民が暮らしていた現在のパラグアイにスペイン人がやって来ました。その中には、フランシスコ会やイエズス会といったキリスト教カトリックの宣教師ミッションも渡ってきました。彼らは、パラグアイの各地に村を建設し、宗教とともに、ヨーロッパの芸術や文化も伝えました。その中には、テネリーフレースもありました。テネリーフレースは、アフリカ北西部にあるスペイン領カナリア諸島のテネリーフェ島で作られていたレースで、糸を放射状や平行に渡したものに、かがりや結び、織りを加えて模様を作るレースの手法の一つです。もともと先住民族が作っていたヤシの繊維や野生のワタを使った編み物と、その時にスペイン人から伝わったテネリーフレースが、パラグアイの土着の文化と融合しながら豊かな自然の中で発達し、ニャンドゥティという独自のレースを作り上げたと考えられています。

　今のような形式のニャンドゥティは19世紀から盛んに作られ、三国戦争（1864〜70年）の後は女性たちの仕事としてより盛んに作られるようになったと言われています。各家庭で生み出されたニャンドゥティの多様なモチーフのデザインは、母から娘へと伝承されてきました。

1 壁面いっぱいにニャンドゥティが飾ってあるイタグアにあるお店。
2 庭で作品を仕上げるニャンドゥティ職人のシンドゥルファさん。
3 枠に張った布には、隙間がないくらいにびっしりとモチーフが配置されている。
4 民芸品店の前に吊るされたカラフルなハンモック。ハンモックもパラグアイの民芸品の一つとしてよく店で売られている。

緑に囲まれた自宅のポーチで並んで制作する職人のシンドゥルファさん（左）と妹のエピファニアさん。

ニャンドゥティの故郷
イタグアの職人たち

　ニャンドゥティの生産は、パラグアイの中でも、イタグアという町で受け継がれてきました。イタグアは、首都アスンシオンから東へ30kmほど離れた町です。ニャンドゥティにまつわるたくさんの職人が暮らし、関連する店や会社が集まっています。ニャンドゥティを教える専門学校やカトリック教会が管理するニャンドゥティの小さな博物館もあります。また、名前が意味する「蜘蛛の巣」をモチーフにしたオブジェやマークを見つけることも出来るでしょう。一時期に比べると、職人や店の数は大きく減ってきていますが、世界各地から、ニャンドゥティを求める人々がイタグアを訪れています。

　イタグアに暮らすニャンドゥティの職人は、それぞれの家で作業を行っています。ただ家と言っても、たいていの人が、家のポーチや庭の木陰など、室内ではなく、空が見える屋外で作業を行うのが一般的です。時には、何人か集まって、にぎやかにおしゃべりをしながら、針を進めることも。湿気も少なく、年間の平均気温が25度のパラグアイでは、外で針仕事を行う方が快適なのです。

ニャンドゥティの伝説

　ニャンドゥティの起源については、スペイン人が持ち込んだヨーロッパのレースの手法が基になっていると言われている一方で、パラグアイには、ニャンドゥティの始まりを伝える伝説が、今でも語りつがれています。どの伝説にも、蜘蛛の巣が登場しますが、イタグアの職人によれば、以前は、本物の蜘蛛の巣の糸で、ニャンドゥティを作っていたこともあるそうです。パラグアイの蜘蛛は、日本のものと、かなり異なる蜘蛛もいます。太陽の光をあびて、七色に輝く蜘蛛の巣の美しさを目の当たりにすれば、ニャンドゥティの始まりは、伝説の通りだったかもしれないと思えてきます。

一つ一つの巣がつながり群れで大きなシートを張る南米特有のクモ（Parawixia Bistriata）。

イタグアにあるニャンドゥティ博物館の窓枠。「蜘蛛の巣」を意味するニャンドゥティの名前にちなんだ蜘蛛の巣のユニークなデザイン。

ニャンドゥティの伝説１

　　山奥の森の中にあったインディオの部落の話です。インディオの酋長の息子が、ある美しい娘と結婚することになりました。娘の父親は、「娘のために、何か素晴らしいプレゼントをするように。」と酋長の息子に言いました。

　　酋長の息子は大好きな彼女のために、何か珍しいものを探してこようと思い森の奥へ奥へと出かけていきました。娘は彼の帰りを楽しみに待っていました。毎日、明日こそはと思いながら待っていましたが、とうとう彼は帰って来ませんでした。

　　心配のあまり、娘は彼を探しに行こうと決心し、一人で森の中に入っていくことにしました。周りの人は必死でとめましたが、娘の願いには勝てません。娘は危険な動物がいる森の中をあちこち探しまわりました。

　　ついに、探しあてましたが、彼の姿はトラにかみ殺されて無残な姿に変わり果てていました。娘はそれから三日三晩、彼のそばで泣き暮らしました。涙もかれたと思われるころ、彼の死体のそばにあった木にふと目をやると、そこには美しいクモの巣がはられていました。太陽の光を浴びて、きらきらと銀色に輝くそのクモの巣に娘は強く心をうたれました。娘は一匹のクモが自らはきだす細い糸で、網目模様をつくりあげていく動きをじーっと観察したのです。

　　村へ戻ってきた彼女は、一匹のクモの動きを思い出しながら、すばらしい織物を作り上げました。それはクモの糸のように細く、クモの巣のように繊細で美しいものでした。その技術がインディオの女性たちに広まり、今ではパラグアイを代表する伝統的な織物として有名になりました。

ドクター・マリアノ・セルソ・ペドロソは、男性でありながらニャンドゥティを作り、イタグアにあるニャンドゥティ博物館やニャンドゥティ祭りを始めた人物。この記念碑は、彼の功績を讃えるために2002年にチキータさんによって建てられた。

ニャンドゥティの伝説２

　　昔、美しい娘を結婚させようとしていたインディオの酋長がいました。酋長は「娘に最もすばらしいものをプレゼントするように」と言いました。娘に恋をしていた一人の若者は贈り物をするために森に出かけ、クモの美しい糸を見つけました。それを彼はからめとろうとしましたが、糸は消えてしまいました。彼は、がっかりして家に帰り、森の中で起こったことを母に告げると、母親は森の中に入って行きました。そして、クモが巣をつくり始めているのを見つけ、自分の白髪を抜き、クモの動作をまねてクモの巣そっくりな織物を作り上げて息子に渡しました。

光を受けて、七色に輝く蜘蛛の巣。

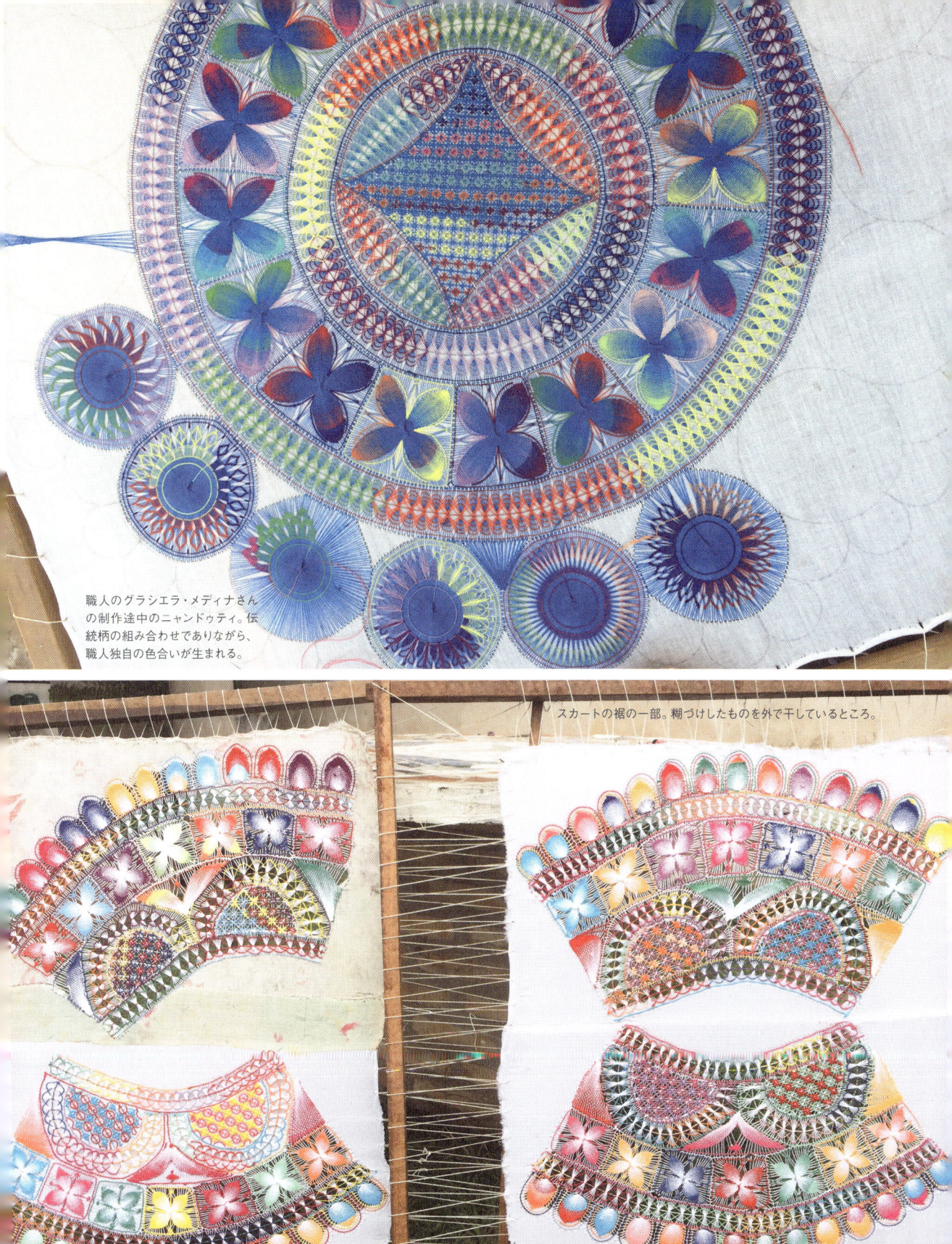

職人のグラシエラ・メディナさんの制作途中のニャンドゥティ。伝統柄の組み合わせでありながら、職人独自の色合いが生まれる。

スカートの裾の一部。糊づけしたものを外で干しているところ。

ニャンドゥティの用途

　模様の一つ一つを眺めているだけでも十分なほど、見応えがある美しいニャンドゥティですが、これらは、どんな用途のために作られるのでしょうか。

　イタグアの町にある教会が管理するニャンドゥティの博物館では、教会で使われていた古いニャンドゥティを見ることができます。古くから、祭壇の飾り、司祭やマリア像の衣装、カトリックのお祭りのためなど、教会にまつわる装飾がニャンドゥティで作られてきました。

　そのほかにも、ニャンドゥティの女性用の民族衣装は、以前から親しまれてきました。非常に丈の長いスカートで、スカート全体と袖がニャンドゥティで作られたデザインは、非常に華やかで、アルパ奏者やパラグアイダンスの衣装としてよく着用されています。現代では、アクセサリーやバッグ、洋服、テーブルクロス、カーテンなど、伝統的な模様や形を活かしながらも、今のライフスタイルにあった製品が、主におみやげ用、輸出用の製品として作られています。

しおり、カーテン、テーブルクロス、ランプシェード、民族衣装、ピアス、木枠付きニャンドゥティなど。身のまわりの様々なものとして作られている。現代のものは、カラフルな色使いが多い。

上　1915年に作られた細い糸で作られた襟。
下　ニャンドゥティの衣装を着たマリア像。普段は教会に飾られているが、毎年3月にあるニャンドゥティ祭りの時には、神輿の上にマリア像を乗せて町の中を練り歩く。

暮らしの風景から生まれた伝統模様

　ニャンドゥティのデザインの基本は、小さな円形のモチーフです。円に放射状に張られた土台の糸に、模様の糸で、かがりや結び、織りを加えることで、多様な模様が生まれます。例えば、三角、四角など、好きな形に糸を張れば、円形以外の様々な形を作ることもできます。そして、様々なモチーフを組み合わせ、つなぎ合わせることで、大きな作品にすることもできるのです。

　基本となる円形の伝統的なモチーフ模様は、350以上もの種類があると言われています。ニャンドゥティを作り始めた数百年前から、作り手であった女性たちが考えた模様が、少しずつ増えていったのでしょうか。自然のものから、人々の生活に密着したありとあらゆるものが、模様として表現されているのです。グァバやジャスミン、パッションフルーツなどの花の模様は、代表的で、いろいろな作品の中で見ることができます。チパと呼ばれるパンや、パラグアイ料理を作るためのかまど、パラグアイの伝統工芸品であるフィリグラナなどの模様からは、パラグアイ独自の食文化や工芸を知ることができます。中には、「でべそ」、「眉毛」、「妊婦さんのふくらんだおなか」など、人の体の一部をイメージした模様があるのもユニークです。モチーフから、パラグアイの暮らしの風景が見えてくるような、そんな生活に密着した模様が特徴です。

Yvyra'ity jovái (karaguata)

カラグァタの花。美しく香りのよい花が咲き、葉から強くて加工しやすい繊維がとれる。昔はこの繊維でニャンドゥティを制作していた。

Jazmín poty / Flor de jazmín

ジャスミンの花。ニャンドゥティで最もよく使われるモチーフの一つで、花びらは4枚以上のものもある。ジャスミンの生け垣は、恋人たちがセレナーデを奏でながら愛を語るのに最適な場所だと言われている。

Pakova rogue

バナナの葉。これを敷いて焼いたり、蒸したりすると、風味よく仕上がるので、パラグアイ料理でよく使われる。

Tuna poty

サボテンの一種で乾燥地帯のチャコ地方にはさまざまな種類がある。チャコ戦争では、兵士の飢えと渇きを癒した。

Mburukuja poty

中南米を原産とする時計草の花。パッションフラワーとも呼ばれるこの花は、キリストの受難を表す。

Cerro, Cerrito

 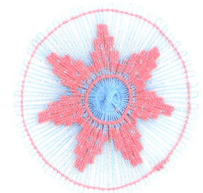

小さい山。絶え間なく高みを目指すニャンドゥティの編み手の願いを象徴する。レンガの塔という意味もある。

Tatakua

レンガと粘土でつくられたお椀型のかまど。田舎ではほとんどの家が持ち、チパなどのパラグアイ料理の調理に使われる。

Tela de araña

蜘蛛、小さい蜘蛛。パラグアイの女性達はこの自然の織り手からヒントを得て、ニャンドゥティを作り始めたと言われている。

Cantarilla

 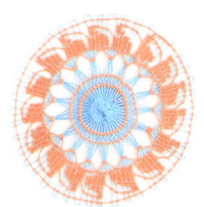

素焼きの水差し。昔ながらの日用品で、今でも畑に水を運ぶのによく使われる。中心部分は竹の模様。

Tyvyta

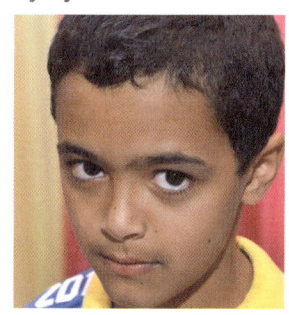 

眉。ニャンドゥティのモチーフには、人の体の一部を表現した模様がいくつかある。

Jatevu

 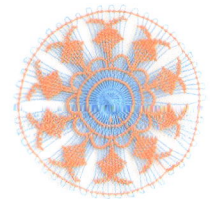

ダニ。牛などの家畜によくついていて、血を吸ったダニはまんまるに大きくなる。

Kurusu ao

十字架とストール。愛情を表現したい時に使うモチーフ。編み手は愛する人のために心を込めて作る。

17

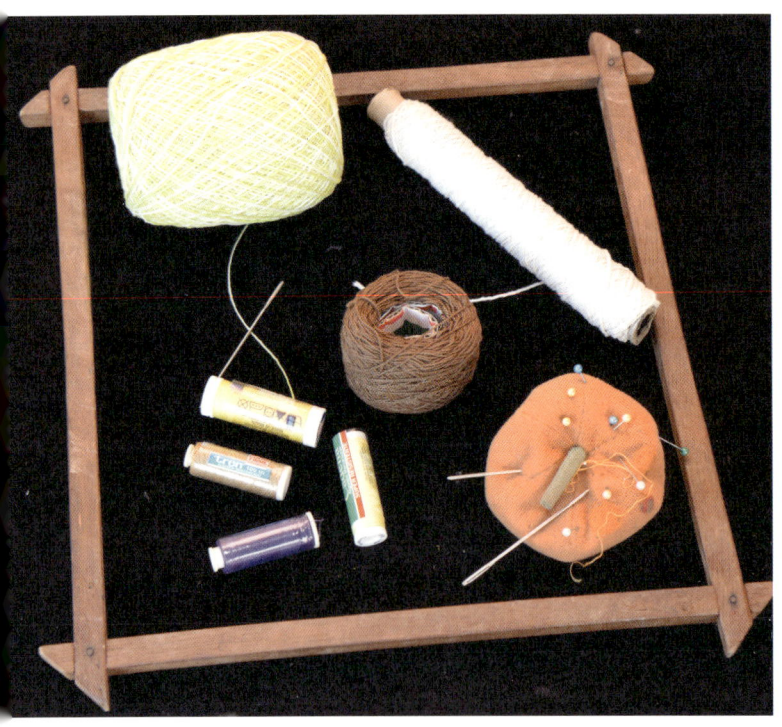

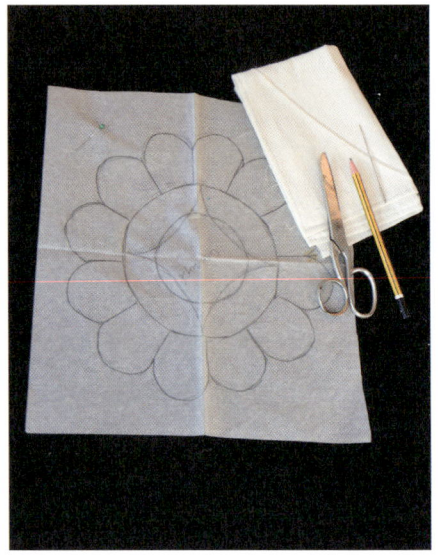

パラグアイで使われている材料と道具。木枠、たこ糸、ミシン糸、8番刺繍糸、針、鉛筆、はさみ、枠に張るための布、図案の紙、コップや食器

ニャンドゥティの作り方

　イタグアの職人たちがニャンドゥティの制作で使用する道具や材料の中で、日本では見かけないものが一つあります。それは、制作に欠かすことのできない木枠です。15cm四方の小さめのものから、2mくらいの大きなものまで、様々なサイズがあります。頑丈に作られた木枠は、壊れるまで、何度でも繰り返し使います。この木枠に、木綿の布を張り、布の上にモチーフを作りあげていくのです。

　例えば、円形のモチーフを作る場合には、このぴんっと張った布に、まずは、円を下書きします。コンパスや定規を使う方法もありますが、パラグアイでは、どこの家にでもあるコップや食器を使って、円を描くこともよくあります。下書きをしたら、円形の放射線状に土台の糸を縫いとめます。土台の糸に、かがりや結び、織りを加えるように糸を通していくことで、いろいろな模様を作ります。イタグアでは、様々な色のミシン糸が使われています。また、針は、一般的に縫いものをする針よりも、太く、長めの針を使うことが多いです。モチーフのサイズや糸の細さに応じて、いろいろな長さ、サイズの針を使い分けています。

　モチーフの模様が完成したら、ちょうどモチーフの裏にある布だけをはさみで切り取り、モチーフに刷毛で糊づけをします。昔からキャッサバの粉で作った糊が使われています。この糊を塗ることで、モチーフ全体が固く、丈夫になります。糊づけが終わったら、木枠のまま、外でしばらく乾燥させます。完全に糊が乾いたら、土台の布からモチーフをはさみで切り取って、ニャンドゥティのモチーフが完成します。

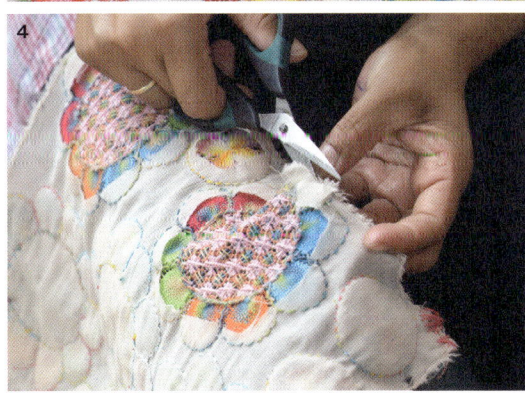

1 枠に張った布の上にモチーフを作る。パラグアイの職人たちは、枠と布の間に親指を出すように片手で枠を持ち、もう一方の手で針を持ち模様を作っていく。
2 枠に張った布の一面に出来たモチーフ。
3 出来上がったモチーフに糊づけしたら、屋外で干す。
4 糊づけが終わったら、布からモチーフ部分を切り取って完成となる。

19

ピラジュで作られるニャンドゥティ

パラグアイの中で、ニャンドゥティの生産で一番有名なのはイタグアの町なのですが、それ以外でもニャンドゥティを昔から作っている地域がいくつかあります。その一つにピラジュという町があります。ピラジュは、のどかで落ち着いた小さな町で、イタグアと違って、ニャンドゥティを陳列したお店は見当たりません。一見すると生産地だとはわかりませんが、実は多くのニャンドゥティ職人が暮らしています。イタグアで販売しているニャンドゥティのドレスなどの商品の多くが、ピラジュでも作られているのです。ピラジュの地域特有のニャンドゥティは、イタグアでよく見られるものに比べて太めの糸が使われています。模様も大きく、糸の密度が低いのが特徴です。作り方は同様ですが、緻密なニャンドゥティとは違った素朴なあたたかみを感じるニャンドゥティです。

1 ピラジュで見かけたのどかな風景。　2 ニャンドゥティ職人の家で。制作途中の木枠が並ぶ。
3 ピラジュで作られた糸の太いニャンドゥティ。（写真『世界のかわいいレース』誠文堂新光社）

Ñandutí
伝統模様のモチーフ集

350種類以上もあると言われている伝統的な模様の中から、ニャンドゥティ作品でよく見られる代表的な模様を中心にセレクトしました.。

1. Takuru
蟻塚
how to make → P.102

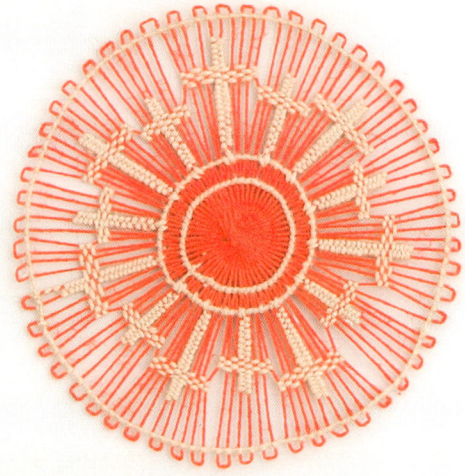

2. Kurusu kora
十字架が輪になっているところ
how to make → P.102

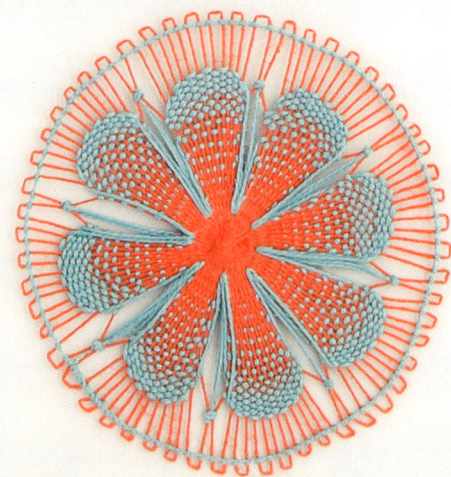

3. Arasa Poty
グァバの花
how to make → P.102

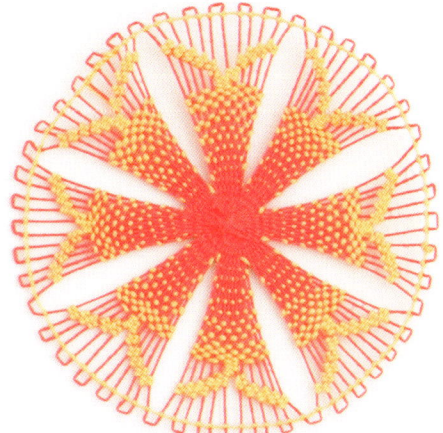

4. Zanahoria
にんじん
how to make → P.102

5. Tela de araña
クモの巣
how to make → P.103

6. Tatakua
かまど
how to make → P.103

7. Jazmín poty / Flor de jazmín
ジャスミンの花
how to make → P.103

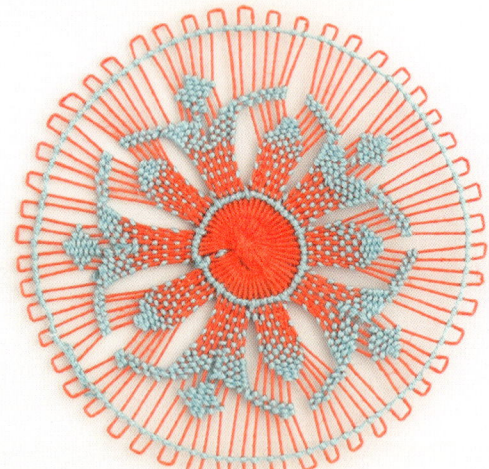

8. Campanilla
ハイビスカス、または鐘
how to make → P.104

9. Buey pupore
牛の足跡
how to make → P.104

10. Karau
河口にいる足の長いサギ
how to make → P.104

11. Caballito
子馬
how to make → P.105

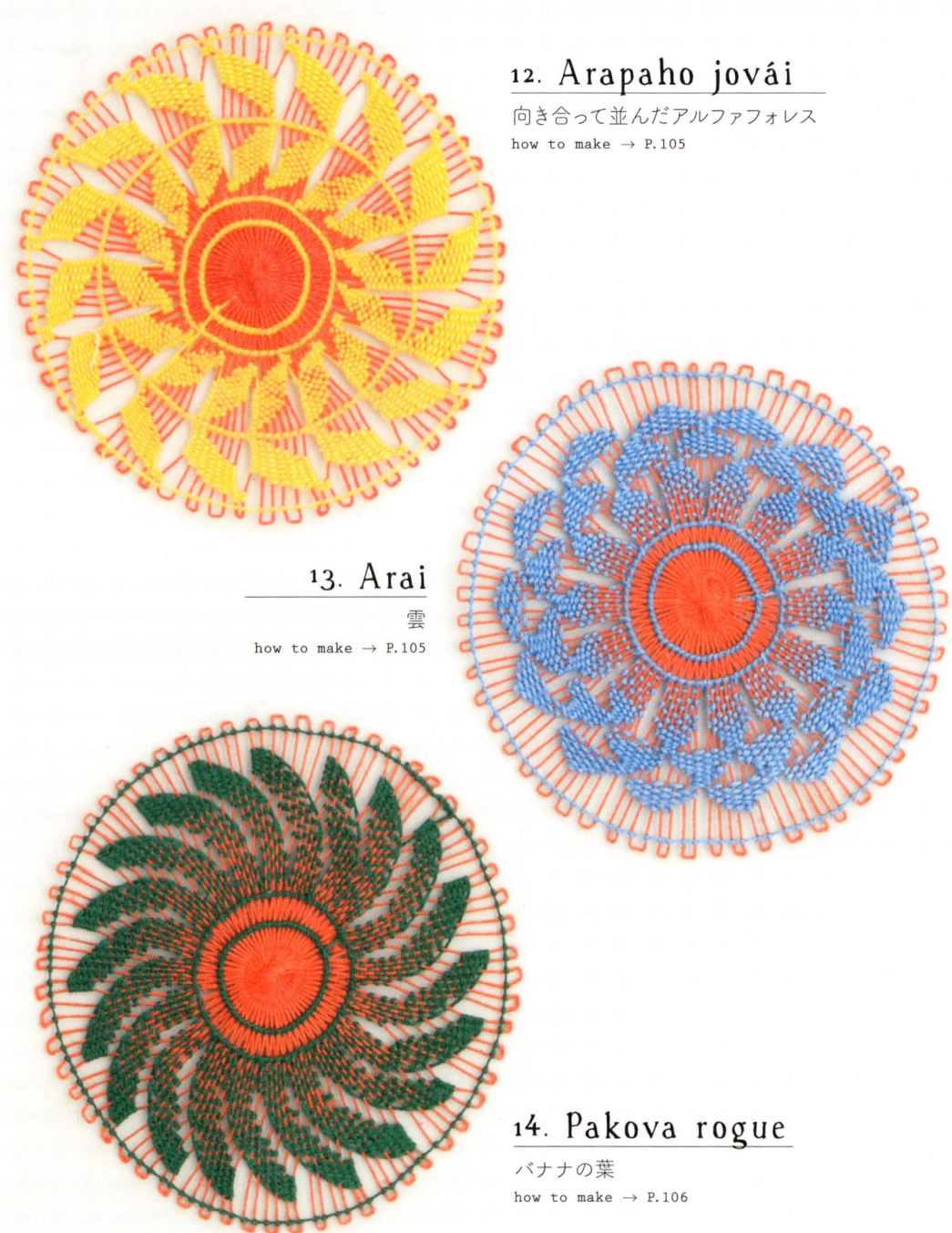

12. Arapaho jovái
向き合って並んだアルファフォレス
how to make → P.105

13. Arai
雲
how to make → P.105

14. Pakova rogue
バナナの葉
how to make → P.106

15. Tuna poty
サボテンの花
how to make → P.106

16. Tatakua haku
熱いかまど
how to make → P.106

17. Estrella
星
how to make → P.107

18. Typycha campaña
田舎のほうき
how to make → P.107

19. Cañoto
椰子や竹を切ったもの
how to make → P.107

20. Cadenilla doble
2重の鎖
how to make → P.108

21. Mbo'y o collar
ヘビ、または貝のネックレス
how to make → P.108

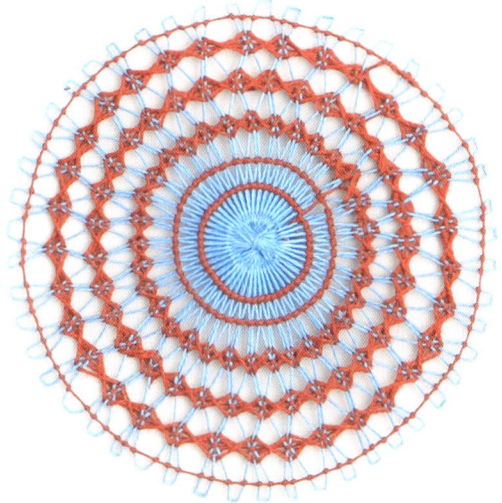

22. Cadenilla simple
シンプルな鎖
how to make → P.108

23. Tyvyta
眉
how to make → P.109

24. Mburukuja poty
時計草の花
how to make → P.109

25. Media cadenilla doble
半分の2重の鎖
how to make → P.109

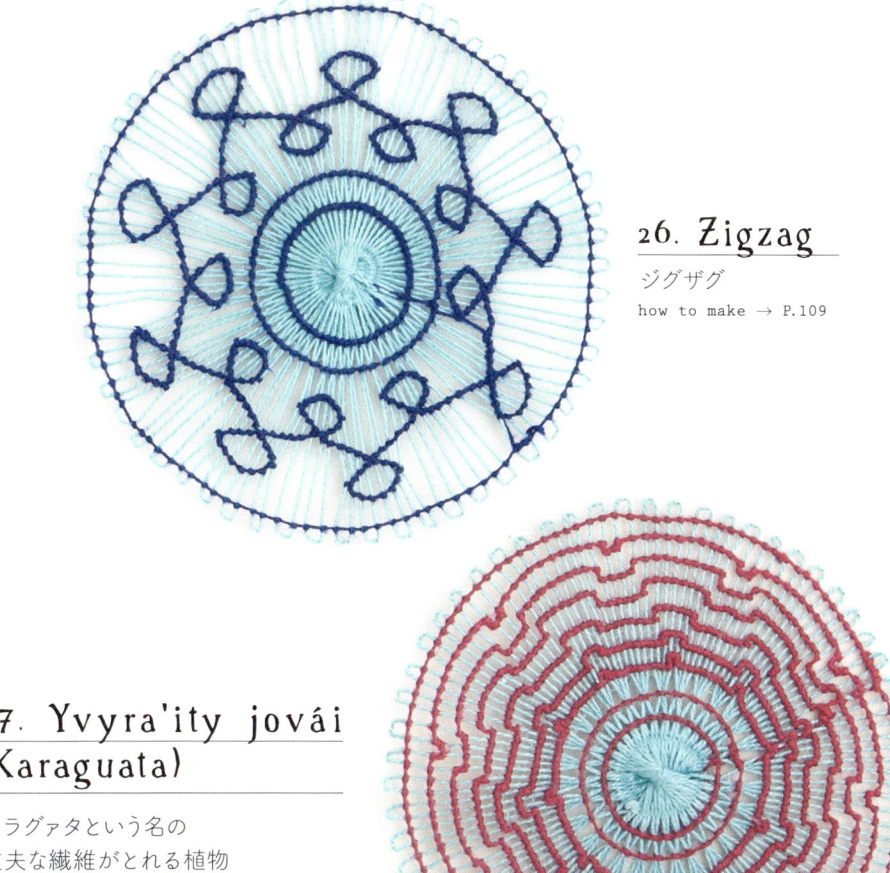

26. Zigzag
ジグザグ
how to make → P.109

27. Yvyra'ity jovái (Karaguata)
カラグァタという名の
丈夫な繊維がとれる植物
how to make → P.110

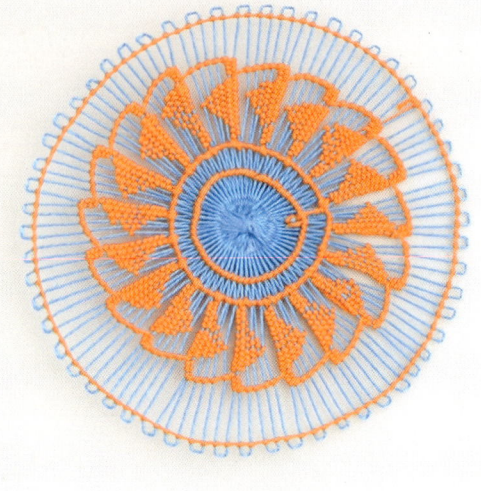

28. Purua kare
でべそ
how to make → P.110

29. Avati poty
トウモロコシの花
how to make → P.110

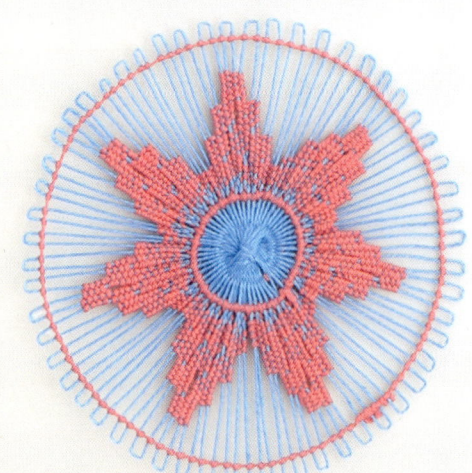

30. Cerro, Cerrito
小山
how to make → P.111

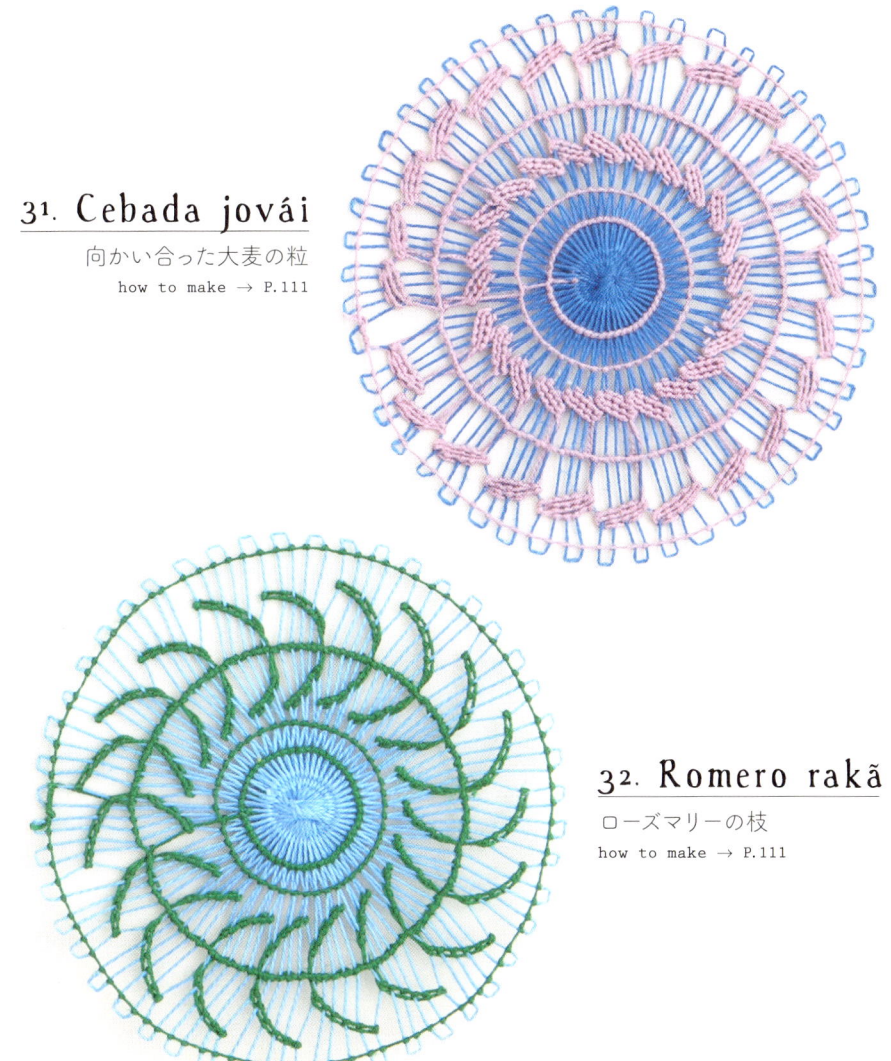

31. Cebada jovái
向かい合った大麦の粒
how to make → P.111

32. Romero rakã
ローズマリーの枝
how to make → P.111

33. Jatevu
ダニ
how to make → P.111

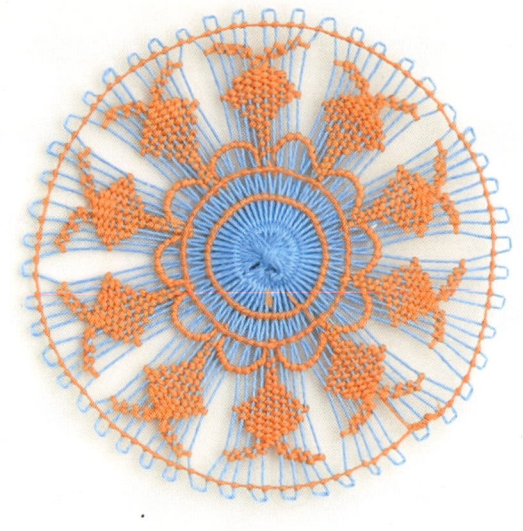

34. Kurusu ao
十字架とストール
how to make → P.112

35. Barquito
ヨット
how to make → P.112

36. Moñito
リボン
how to make → P.112

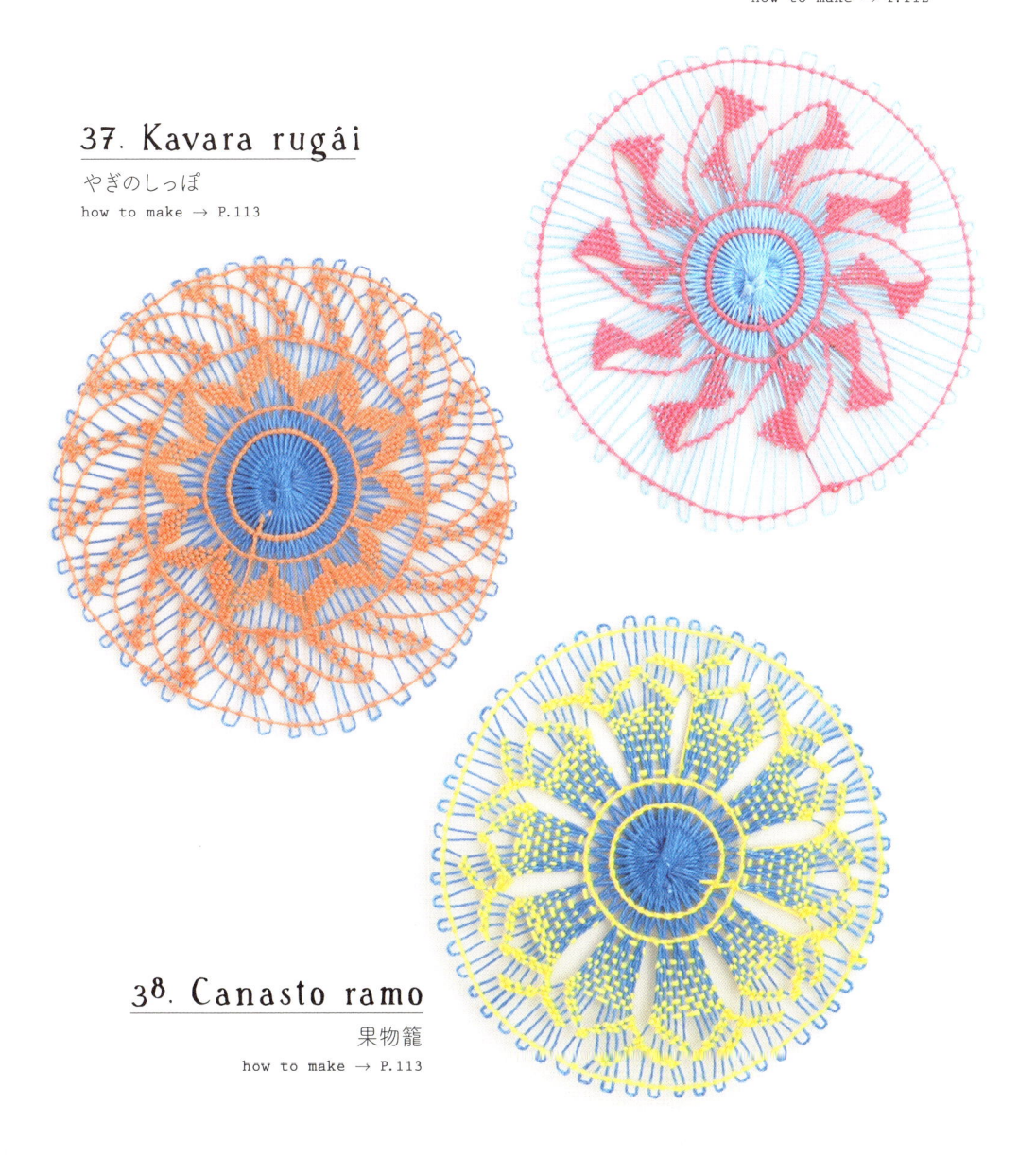

37. Kavara rugái
やぎのしっぽ
how to make → P.113

38. Canasto ramo
果物籠
how to make → P.113

35

39. Frutilla
いちご
how to make → P.113

40. Cantarilla
水差し
how to make → P.114

41. Pasacinta
紐通し
how to make → P.114

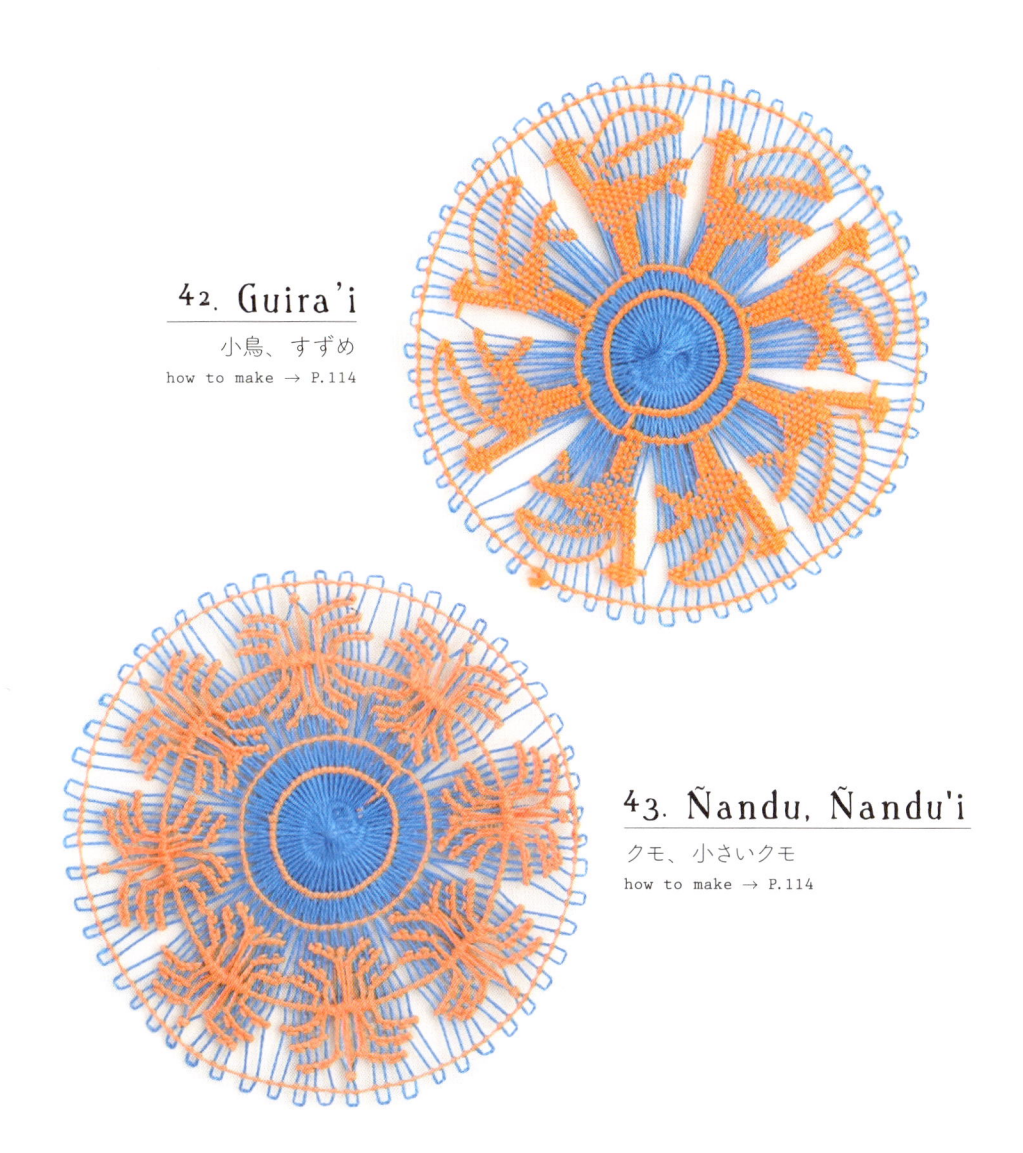

42. Guira'i
小鳥、すずめ
how to make → P.114

43. Ñandu, Ñandu'i
クモ、小さいクモ
how to make → P.114

37

44. Abeja
みつばち

45. Mariposa
ちょうちょう

46. Panambi
ちょうちょう

44〜46は、参考作品のため図案はありません。

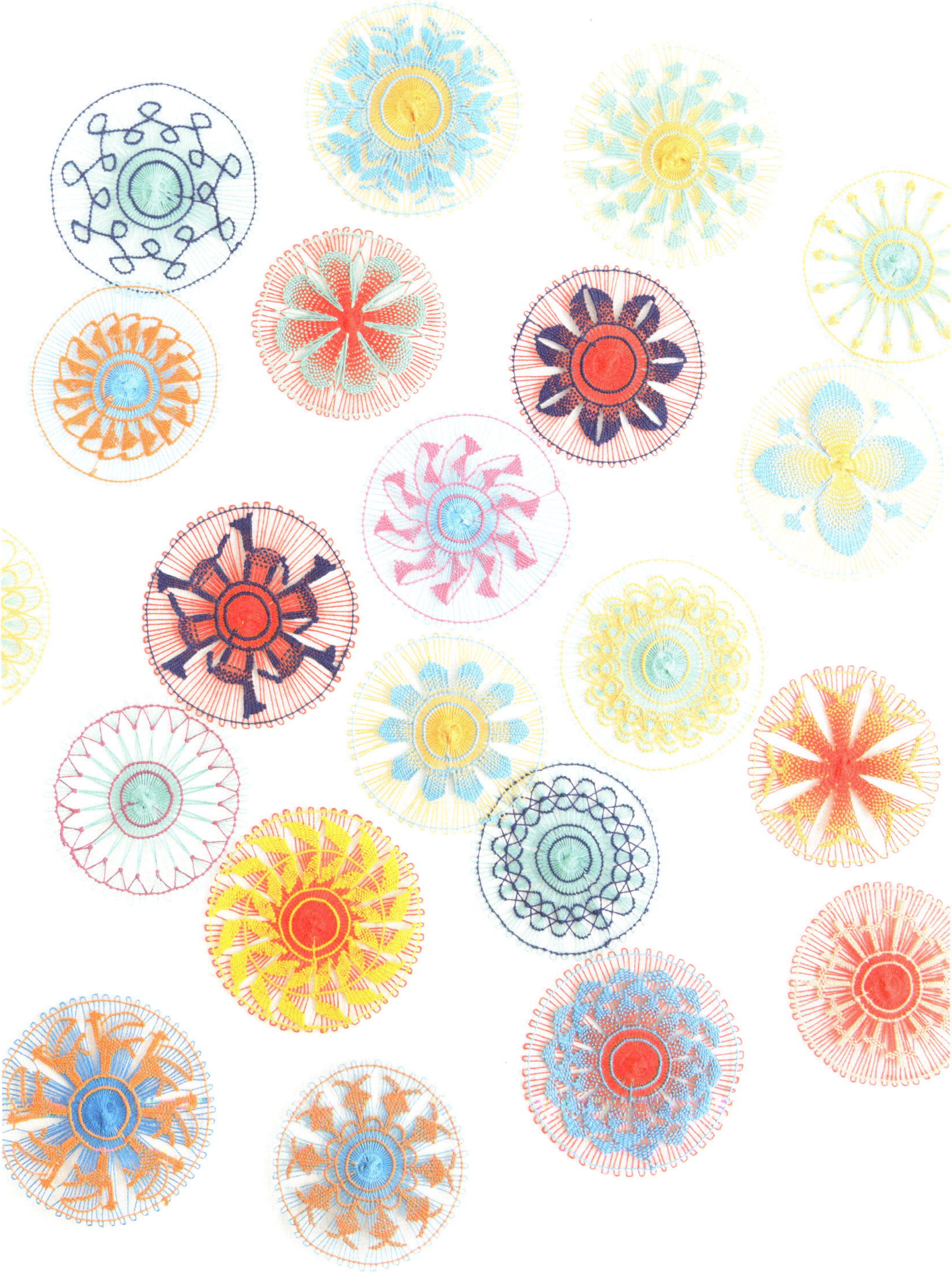

作り方1　ニャンドゥティの基本　〜円形モチーフ〜

円形モチーフ作り方の順番

ニャンドゥティの中でも基本となる円形モチーフの作り方を説明します。糸を放射状に渡して、その土台の糸に結んだり、かがったり、織ったりして作ります。一般的にテネリーフレースと呼ばれる手法と基本は同じですが、作り方の細かいポイントや糊付けの方法などにニャンドゥティ独自の方法があります。多様な模様を作るのは、一見難しそうですが、模様を作るためのテクニックは、織りかがりと結びかがりの2つしか用いません。全体の工程は大きく5つに分けられます。

1. 枠に布を張る…P.43

2. 図案を写す…P.45

3. 土台の糸を放射状に張る…P.46

4. 模様を作る…P.50

模様を作るテクニック
織りかがり…P.52

結びかがり…P.56

共通のテクニック
途中で糸を足す…P.49

玉どめつなぎ…P.60

玉どめで終わる…P.61

5. 布からモチーフを切り取る…P.62

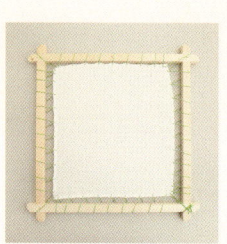

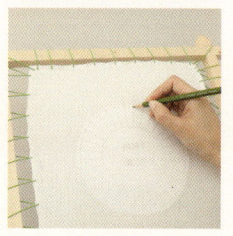

基本の作り方

ニャンドゥティの材料と道具

1. 糸

8番刺繍糸。
本に掲載の円形モチーフは全て8番刺繍糸を使用。ディー・エム・シーの8番刺繍糸は、２２３色の種類があるので、好きな色を選んでみよう。仕上がりサイズなどを調整して、そのほかの番手のミシン糸、レース糸、刺繍糸に変えてもよい。

2. 針

糸が通れば、どんな種類の針でもよいが、針先が尖っているものと、尖っていないものの2種類を使う。土台の糸を張る時には、尖っているものを使い、模様を作る時には、尖っていないものというように、場所によって針を使い分けると作業がしやすい。針の長さは、約4.5～7cmくらいのものから、作品のサイズによって選ぶ。

a 針先が尖っているもの
フランス刺繍針、補修用針、ふとん針など
b 針先が尖っていないもの
クロスステッチ針、とじ針など

ニャンドゥティの材料と道具

3. 枠、枠に張るための布

四角い木製の枠、もしくは円形の刺繡枠。どちらを使う場合でも、薄手の布を枠に張って使う。枠の大きさは、作品サイズに合わせて決める。

枠に布を張る方法→
P.43〜44参照

ニャンドゥティ用の木製の四角い枠

手芸用の刺繡枠

4. 図案、図案を布に写すための道具

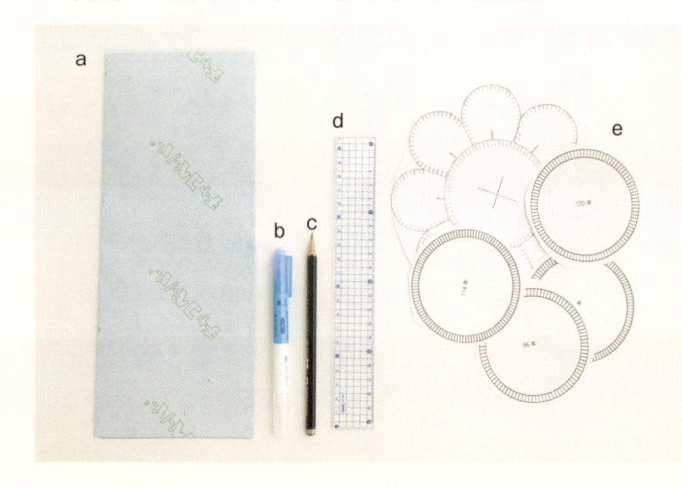

土台の糸をはるための図案と、それを布に書き写すための道具。
図案の写し方→P.45参照

a チャコペーパー
b チャコペン
c 鉛筆
d 定規
e 図案をコピーしたもの
そのほか
コンパス
分度器

5. キャッサバ粉、刷毛

キャッサバ粉はモチーフが完成した後に、モチーフ全体に塗って、仕上がりに堅さを出すためのもの。タピオカスターチ、またはタピオカ粉という名前でも売られている。片栗粉やボンド、洗濯用の糊でも代用できる。

糊づけの方法
→P.62参照

6. はさみ

どんなはさみでも使えるが、細かいところを切るのに、先が尖った手芸用はさみがおすすめ。

基本の作り方

1. 枠に布を張る

パラグアイでは、ニャンドゥティ用の四角い木枠が使われていますが、一般的な手芸用の刺繍枠でも代用できます。どちらの場合でも、枠に張るための布が必要です。刺繍枠を使う時には、刺繍をする時と同じように布を張ります。作りたいモチーフに色糸を使う時には白い布を使い、白い糸でモチーフを作りたい時には色つきの布を使うと糸が見やすくて、作業がしやすくなります。

> ニャンドゥティ用の四角い木枠を購入希望の方は、パシフィックコーポレーションまでご連絡下さい。20cm、30cm、40cmのほか、ご希望のサイズに応じてオーダーも可能です。
>
> 問い合わせ
> info@pacific-corp.co.jp
> http://www.pacific-corp.co.jp/

● 手芸用の刺繍枠

a／手芸用の刺繍枠（クロバー『フリーステッチングフープ』）
一般的な木製の刺繍枠よりも、しっかりと布を張ることができるのでおすすめ。直径12cm、18cmの2種類。
b／手芸用の刺繍枠
一般的な木製の円型刺繍枠を使う時は、内枠に布を巻き付けるとしっかり張れる。

● ニャンドゥティ用の木枠

a／木枠
日本で購入できる四角い木製の枠は、直径20cm、30cm、40cmの3種類。
b／綿の布
枠の内径よりも2cm小さな正方形の布を用意し、布端がほつれないように、四方を三つ巻きに縫っておく。
c／たこ糸
布を枠に張るために使う縫いつけ用糸。
d／針

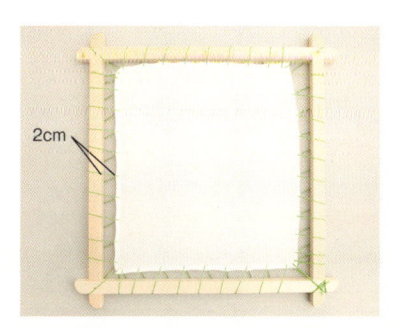

枠と布の間が約2cmあくように張るとよい。

43

1. 枠に布を張る

● ニャンドゥティ用の木枠の場合

01 枠の内径よりも2cm小さな正方形の布を用意し、布端がほつれないように、四方を三つ巻きに縫っておく。

02 たこ糸を針に通して、布の角と枠の角を輪にするように、しっかりと結び、仮止めする。

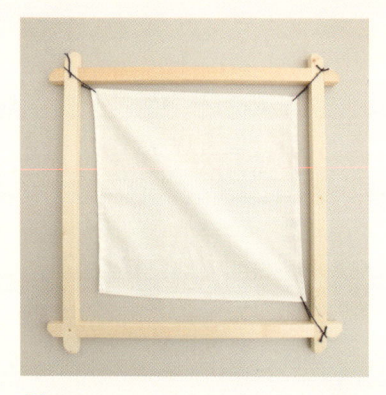

03 他の2つの角も同様に結ぶ。布が枠の中央にくるようにバランスをとりながら結ぶ。

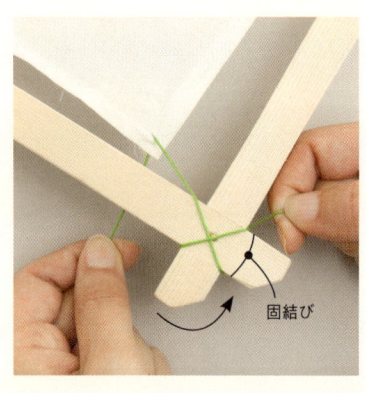

04 4つめの角では、長めにたこ糸を針に通して、枠の角で固結びして固定する。（30cmの枠には、6mのたこ糸を通す。）

05 2cmほどの間隔で、布を縫いながら、木枠に糸を巻き付けて進む。

06 2つめと3つめの角では、図のように巻き付ける。

07 布がぴんと張れるように、3〜4つめの角の間で、すでに縫いつけてきた糸を端から強く引っ張ってくる。

08 最後の角にきたらもう1度強く糸を引っ張り、角に何度か巻き付けてから最初の糸端と固結びをする。

09 布を張り終わったところ。布が枠の中央に配置されている。角に結んだ仮止めの糸（黒）は、外す。

2. 図案を写す

基本の作り方

モチーフの土台の糸を放射状に張るための図案を布に写します。土台の糸の本数とモチーフの直径サイズは、模様によって異なります。指定の本数の図案を実寸に拡大コピーして使って下さい。いずれかの方法で、図案を布に書き写します。

・カーボン紙で書き写す。
・コンパス、分度器、定規などを使い、図案の紙を使わずに書き起こす。
・布が薄く、図案の紙を布の裏に貼って書き写せる時は、鉛筆やチャコペンで書き写す。

布の裏に図案を貼りつけて、書き写しているところ。

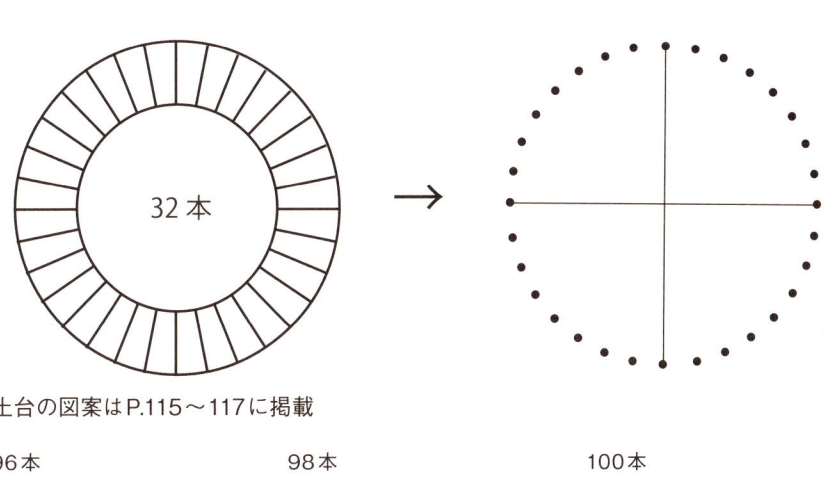

32本 →

土台の図案はP.115～117に掲載

96本　98本　100本

112本　114本　120本

3. 土台の糸を放射状に張る

土台の糸を放射状に布に張ります。円の外周の点線を数字の順に、右まわりに縫い進みながら、全体に糸を渡します。ここでは、わかりやすくするために、本数を少なくし、太い糸を使っていますが、土台の糸が何本であっても、この手順に従って作ります。

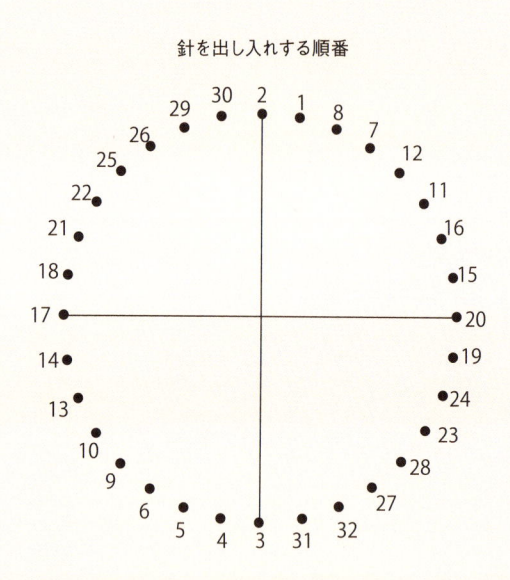

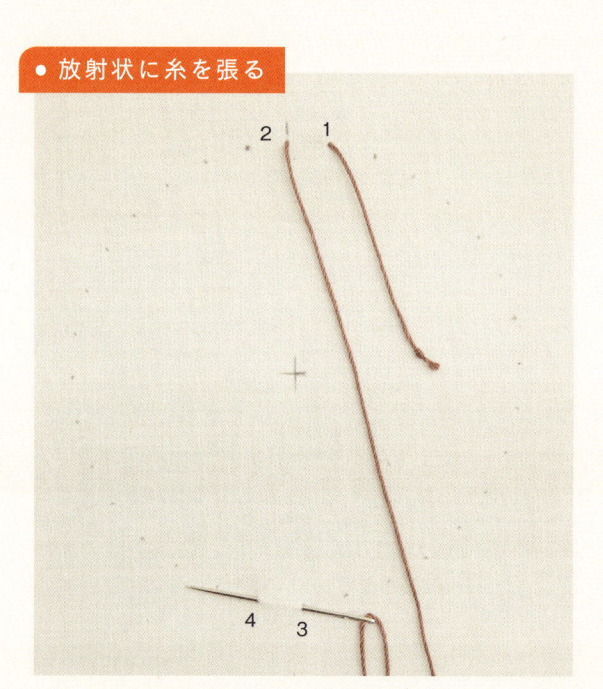

針を出し入れする順番

● 放射状に糸を張る

01 糸端に玉結びを作った糸を針に通し、1に針を入れて、2に出す。この時、糸端を少しだけ布の上に出しておく。それから、3に針を入れ、4に出す。

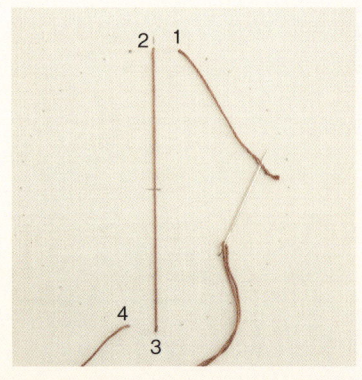

02 布の上に出しておいた糸端の玉結びのすぐ上を針で割り、矢印の方向へ針を通す。

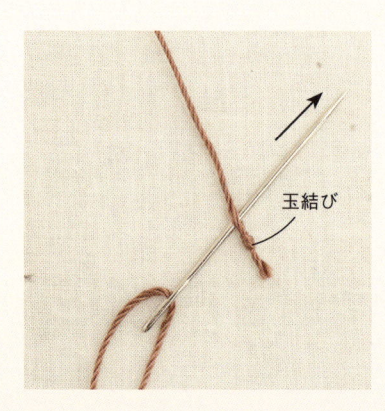

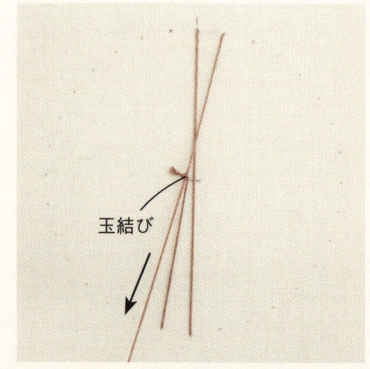

03 玉結びが円の中心にくるように、矢印の方向へ糸を引き調節する。

基本の作り方

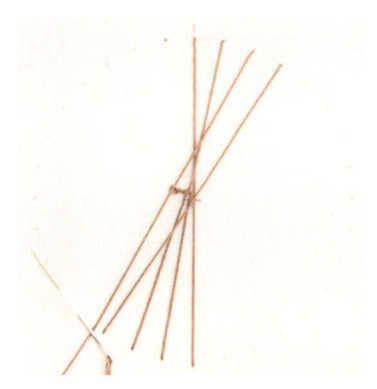

● 中心のとめ方

04 図の順番に針を布に出し入れし、右まわりに糸をかけていく。

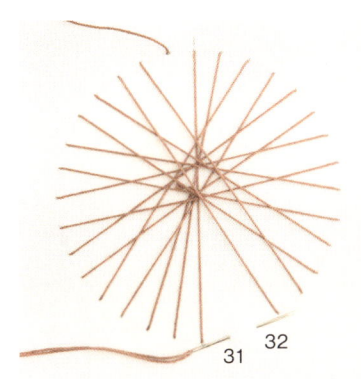

05 31から32へ針で縫っているところ。これで、放射状に32本の糸がかけ終わる。

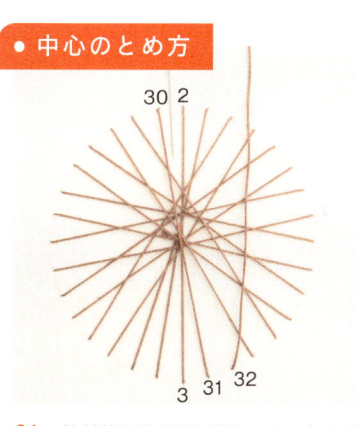

06 放射状に糸を張り終えたら、中心で十字に玉どめする。まずは、2と30の間から、3と31の間に針を出す。

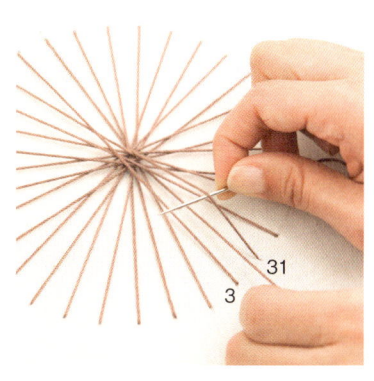

07 3と31の間から引き出した糸を31の左に置き、31の糸に針を右から左へ通す。

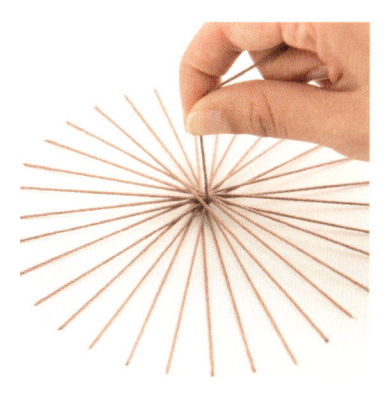

08 結び目が中心に来るように、中央で上へひっぱる。

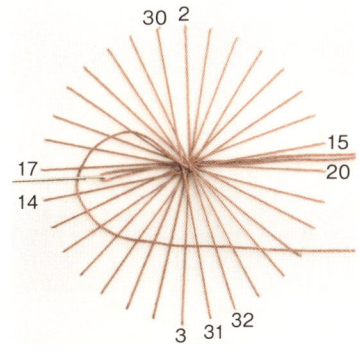

09 次は、円の右から左へ針を通し、中心の糸を針に右から左にかけて、中央で玉どめする。

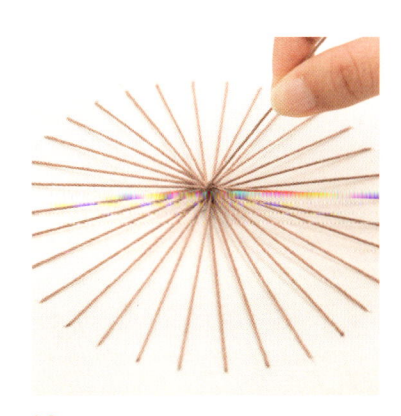

10 09の玉どめをもう一度繰り返す。

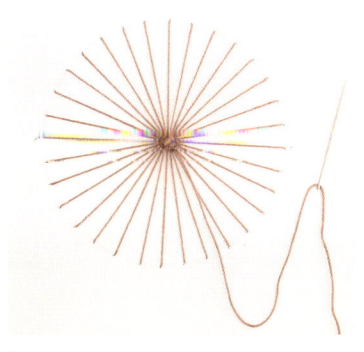

11 中心の糸で、〈中心の織り〉をする。→p.48を参照

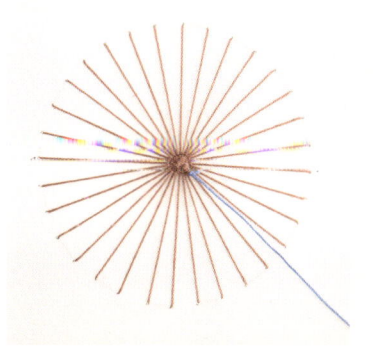

12 〈中心の織り〉をしたら、模様を作るための糸に替える。p.49を参照

47

3. 土台の糸を放射状に張る

▶ **中心の織り**　中心で十字に玉どめをした後に、＜中心の織り＞をします。説明のために、土台の糸と違う色ですが、実際には土台の糸のまま中心を2周織ります。また、糸の間に隙間があかないように、糸を引っ張るように織ります。

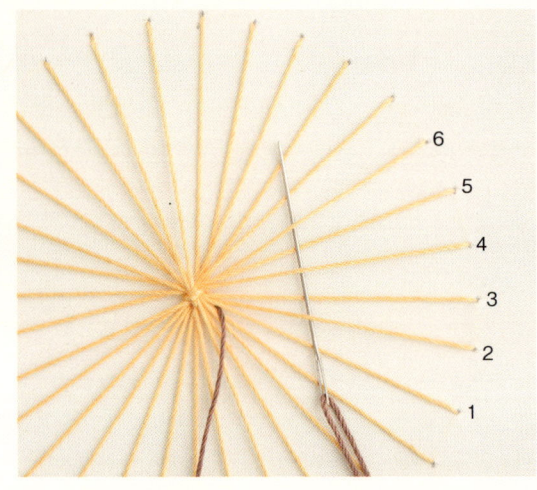

01 土台の糸を1本ずつ互い違いにとり、左まわりに1周する。どの糸からスタートしてもOK。ここでは偶数の糸の下を通る。

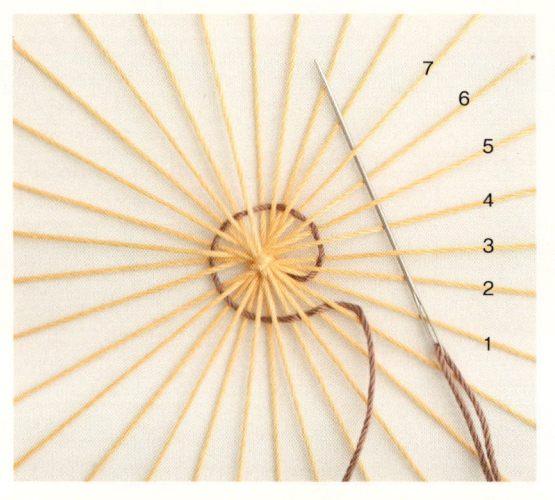

02 1周終えたら、1周めの最初の糸を1本飛ばして、2の糸から1周めと互い違いになるように1周する。ここでは、奇数の糸の下を通る。

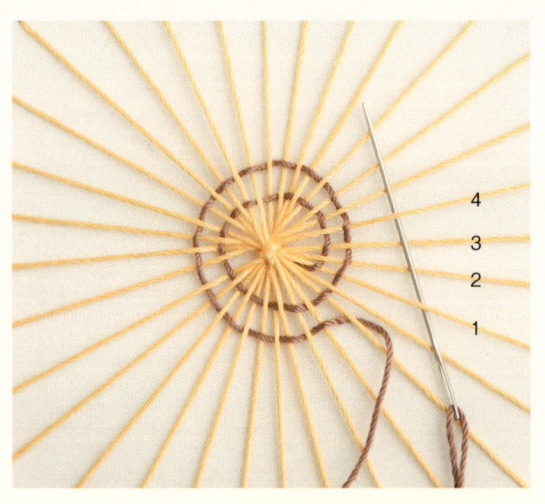

03 2周終わったら、土台の糸2本（2,3）の上を通り、4の下を通す。

04 5と6の間の2周めの糸に、図のように針を通す。

実際には、中心はこのように小さくなる。

基本の作り方

共通のテクニック
▶ 途中で糸を足す

土台の糸から模様の糸に変わる時や糸が足りなくなった時など、途中で糸を足す時には、2つの糸を結んで足します。結び方1、2のどちらの結び方でも構いません。結び方1は「はた結び」と同じです。この結び方の時は、必ずしっかりと結ばれているかを確認してから、糸端をはさみで短く切って下さい。

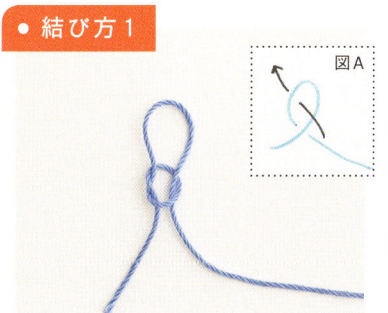

● 結び方1

01 図Aのように糸を置き、輪の中から長い方の糸を引き出し、ループの大きな結び目を作る。

02 青糸のループの中に赤糸を通す。

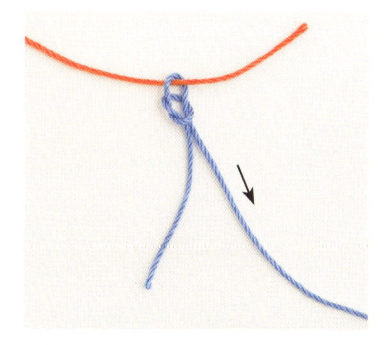

03 青糸の長い方の糸を矢印の方向へ引っぱり、ループを小さくしていく。

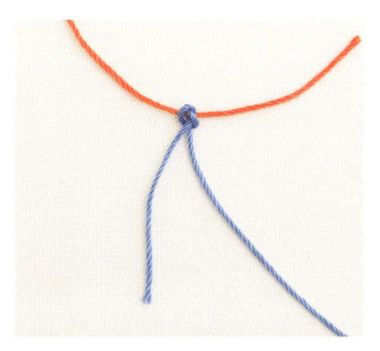

04 ループが写真くらいに小さくなるまで、青糸をひっぱる。

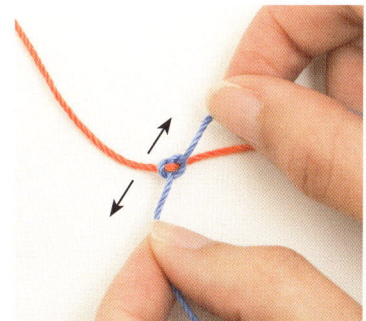

05 写真のように、青糸を両手で持ち、逆方向へ強く引き締める。

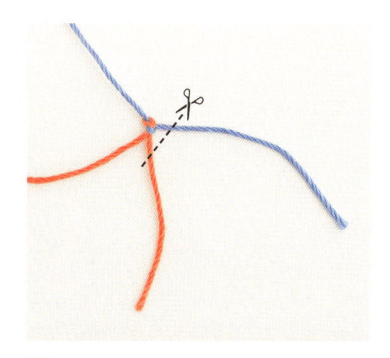

06 固く結べたら、それぞれ3mmくらい残してはさみでカットする。

● 結び方2

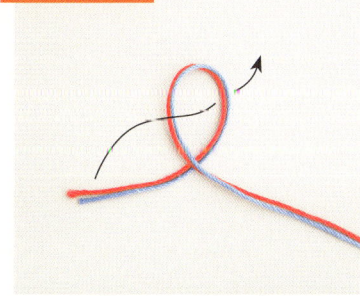

01 2本の端を揃えて、図のように輪を作り、糸端を輪の中に通して、引き締める。

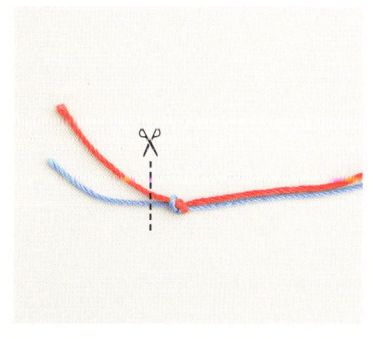

02 固く結べたら、結び目から3mmくらい残して、はさみでカットする。

49

4. 模様を作る

土台の糸に、もう1色の糸で模様を作っていきます。模様を作る基本のテクニックは＜織りかがり＞と＜結びかがり＞の2種類だけです。

円形モチーフは、中央の模様に2種類あります。1つは、「牛の足あと」の模様のように、2重の円があるものと、「ジャスミンの花」のように、模様の糸を替えてすぐに模様を織り始めるものです。

それぞれの模様を放射状に何回か繰り返すことで構成されています。

中心に2重の円があるモチーフ…「牛の足あと」の模様の作り方

1 土台の糸を放射状に張り、中心に2周織る。

→P.46〜47 土台の糸を張る
→p.48 中心の織り

2 違う色の糸に替えて、中央に＜結びかがり＞で2重の円の模様を入れる。

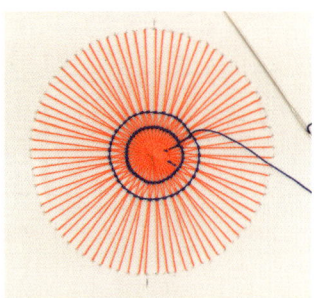

→P.49 途中で糸を足す
→p.56 結びかがり
→p.58 中央の結びかがり

3 ＜織りかがり＞で、「牛の足あと」の模様を1つ作る。

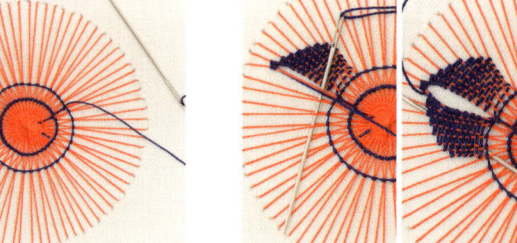

→P.52 織りかがり

4 模様を5回繰り返し、最後の模様が出来たら、糸を真上へ上げて円の縁に＜結びかがり＞で模様を入れる。

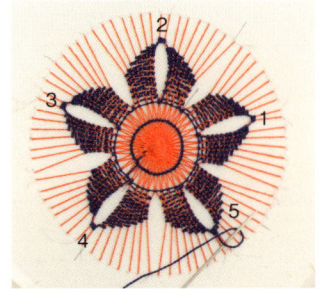

→P.56 結びかがり

5 円周の＜結びかがり＞が出来たら完成。

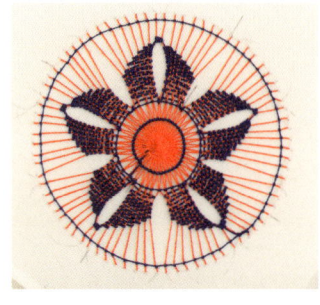

→P.61 円の模様を閉じる

模様の図案

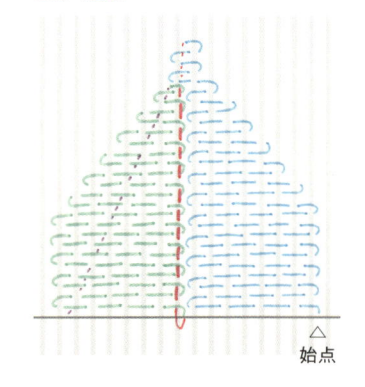

始点

基本の作り方

point 1 模様の糸は、モチーフの始点から終点までが一筆書きのように進路は全てつながっています。なるべく途中で糸を替える回数が少なくなるように、長めの糸を針に通します。長い糸を下の図のように針に通すと、作業がしやすくなります。

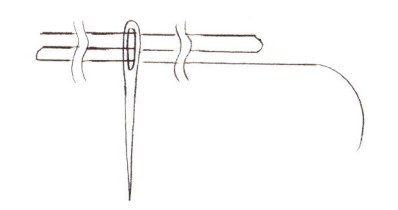

point 2 モチーフによって、必要な模様の糸の長さは異なります。例えば、「牛の足あと」は、約3.8m、「ジャスミンの花」は約3.3mが必要です。途中で糸が無くなったら、新しい糸とP.49の方法でつなぎます。模様の中でも糸のつなぎ目が目立たない場所で糸を替えるようにしましょう。

point 3 円の縁の全ての糸に結びかがりを作り終えたら、P.61の＜円の模様を閉じる＞の方法で終わらせる。

中心から模様を織り始めるモチーフ…「ジャスミンの花」の模様の作り方

1 土台の糸から、模様の糸に替える。 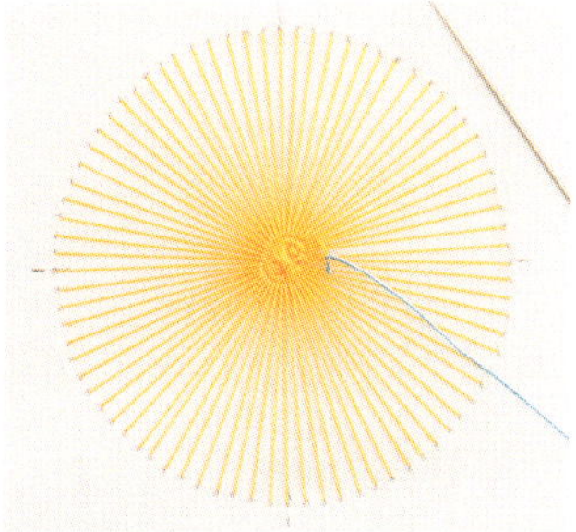
→P.46〜47　土台の糸を張る
→P.48　中心の織り
→P.49　途中で糸を足す

2 花びらを1枚作ったら、左隣に同じことを繰り返す。 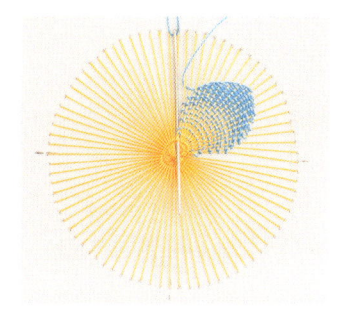
→P.52　織りかがり

3 花びらを4回繰り返したら、細長い模様を作る。 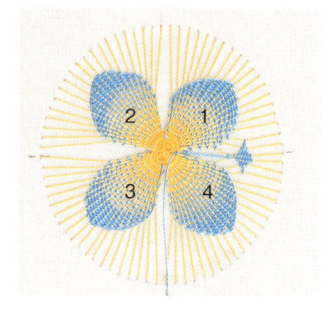
→P.52　織りかがり
→P.56　結びかがり

4 最後の模様が出来たら、糸を真上へ上げて円の縁に＜結びかがり＞で模様を入れる。 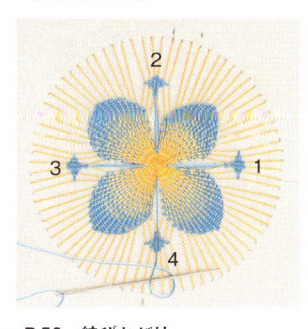
→P.56　結びかがり

5 円周の＜結びかがり＞が出来たら完成。 
→P.61　円の模様を閉じる

模様の図案

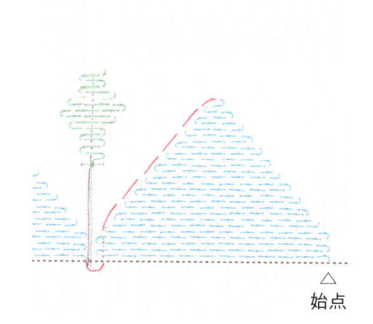

始点

51

4.模様を作る

▶ 織りかがり

土台の糸と模様の糸を交互に浮き沈みさせ、織るようにかがりを入れて、面や線を表現します。高さを出す場合は、上へ段を重ねます。基本的には、一段毎に模様の糸が互い違いになるように、糸を通します。

● 基本

△:始点

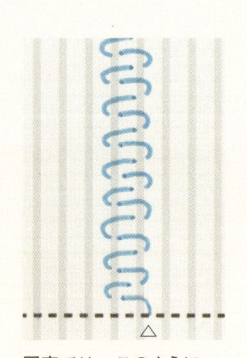

図案では、このように。

実際には、隙間をあけずに重ねる。

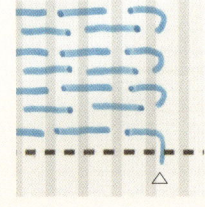

一番最初の織り始めは、上から始まっても構いません。

● 2本の糸で織る場合

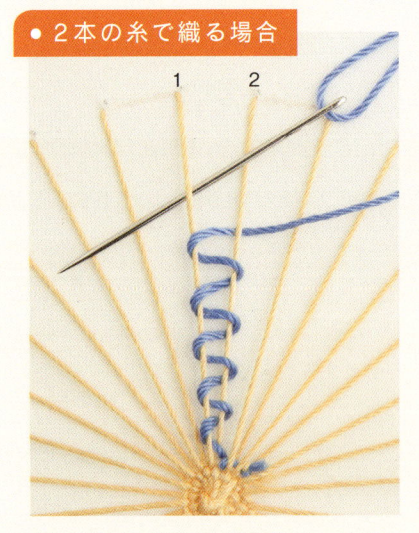

2本の間から1の下に針を通して、左へ出す。

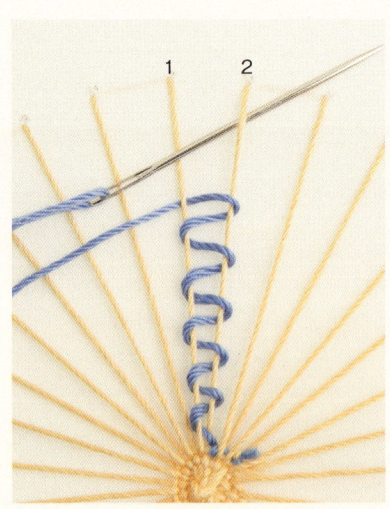

2本の間から2の下に針を通して、右へ出す。

図案では、このように。

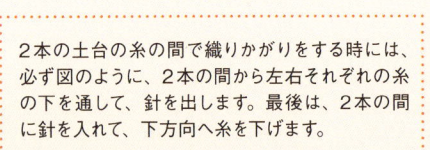

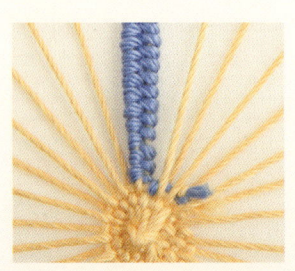

2本の土台の糸の間で織りかがりをする時には、必ず図のように、2本の間から左右それぞれの糸の下を通して、針を出します。最後は、2本の間に針を入れて、下方向へ糸を下げます。

実際には、隙間をあけずに重ねる。

52

＜織りかがり＞の順番が変わる時

＜織りかがり＞では、基本的には、1段めと2段めの糸が互い違いになるように織り進みます。1番始めの糸は、土台糸に対して、上からでも、下からでも構いませんが、2本の土台糸の間で＜織りかがり＞をする時には、図1のように糸を通す順番が決まっています。この方がきれいに仕上がるからです。この2本の間の織順が決まっていることで、その前後で例外的に織る順番を変える時があります。

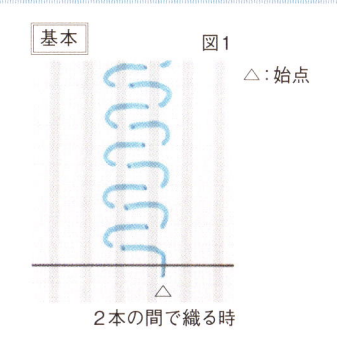

基本　図1
△：始点

2本の間で織る時

● 2本の間を織りながら、斜めへ織り進む時

最初の4段は、図1の通りに織る。5段めで図1のように通常の織順で進んでしまうと、5〜8段の2本の間の織順が図1と違ってしまいます。5〜8段の織順を正しくするために、5段めの織順を図2のように通します。9段めも5段めと同様に織ります。

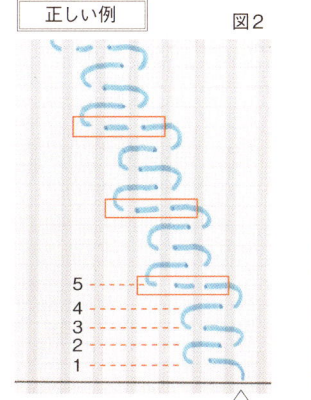

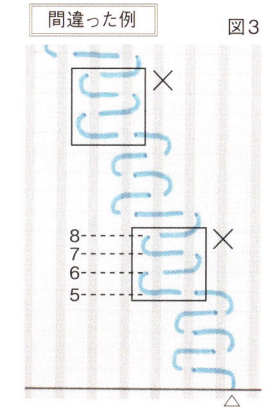

正しい例　図2　　間違った例　図3

● 頂上から下へ糸を下ろす時

右のような図案の時、一番上まで織った後に次の模様の始点に移動するために、糸を下ろす方法が大きく2つあります。1つは、左端を織るように下ろしてくる方法（図4）。もう1つは、真上から全体の後ろを通して下に糸を下ろす方法（図5）です。真上から裏を通して下に糸を下ろす時だけ、土台の糸2本の織順が図1の基本と同じになるようにするために、直前の織順を変える必要があります。2本の間の織順が基本通りになる場合には、織順を変える必要はありません。

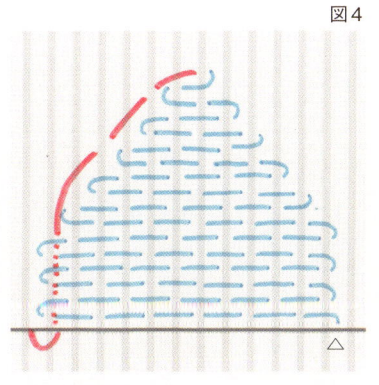

図4　　図5

土台糸が2本になったところでも、基本の織順になっていなくても構いません。

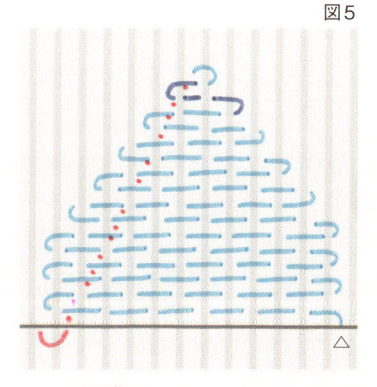

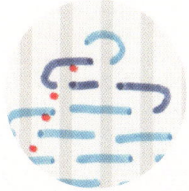

2本の間の織順が、基本と同じになるように、上から3段めは2本とも糸の後ろを通しています。

基本の作り方

53

4. 模様を作る

▶ 土台の糸に巻き付ける

模様の糸は、一筆書きのように全てつながっているので、織りかがりである部分を作り終えた後に、次の始点まで糸を移動する必要があります。その時に、移動する糸が表から見えないようにするためや、次の模様をよりきれいに作り上げるために、途中の糸に巻き付けてから、移動する場合があります。巻き付ける工程のある模様で、よく登場するパターンを例にして説明します。この工程を図案では、斜線の印で表します。他のパターンでも、この例を応用して作って下さい。

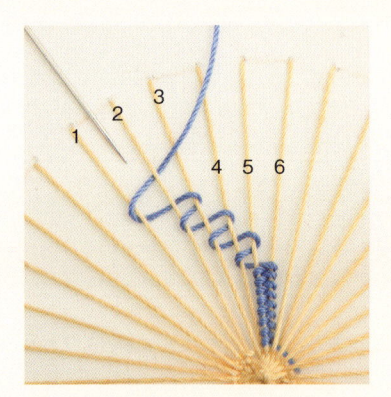

01 左側の模様を上まで進めたら、1と2の間に針を入れる。

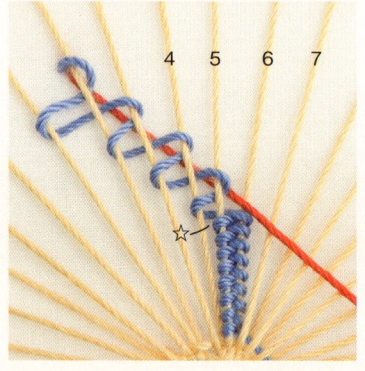

02 全体の後ろを通り、5と6の間に出して、4と5の間の☆に針を入れる。

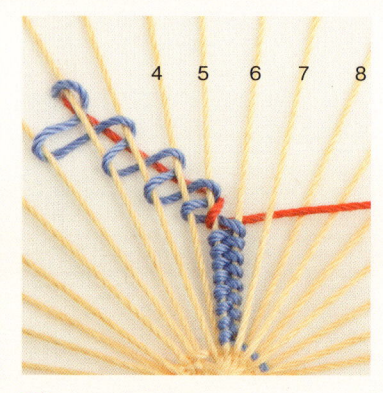

03 7と8の間に出す。

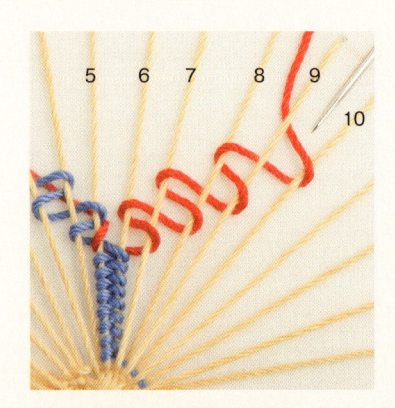

04 右側の模様を上まで進めたら、9と10の間に針を入れる。

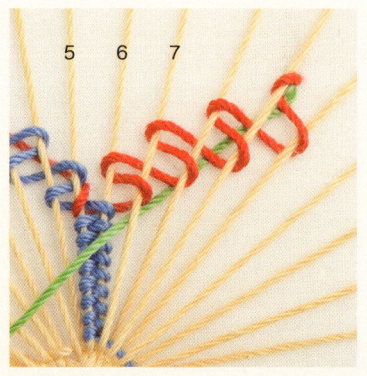

05 全体の後ろを通って、6と7の間に出す。

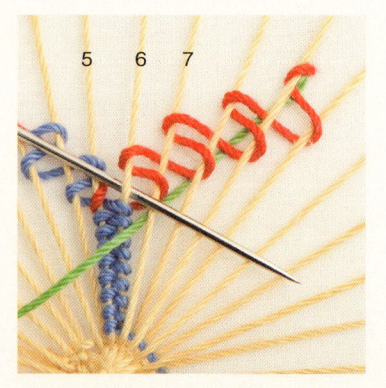

06 5と6の間から、6と7の間に針を出す。この時、6の1本だけすくう。

基本の作り方

07 5と6の間に針を入れて、下に落とす。

巻き付ける箇所が多い図案の場合

● 上へ織り進む時

6ヵ所で糸を巻きつけて上まで織り進む。途中の2から3、4から5へ移動する時は、土台の糸Aに2回絡ませる。

● 上から下りてくる時

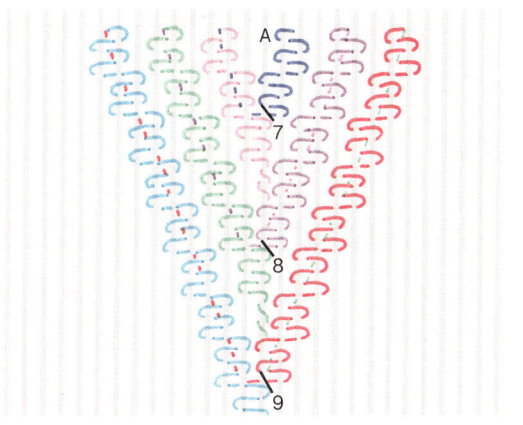

3ヵ所で糸を巻き付けながら下まで降りる。途中の7から8、8から9へ移動する時は、土台の糸Aに2回絡ませる。

● そのほかの例

上記のように、左右対象の細長い形の模様以外でも、糸を巻き付けて移動することがある。そうした場合の図案では、針を出し入れする順番を右図のように数字で記している。

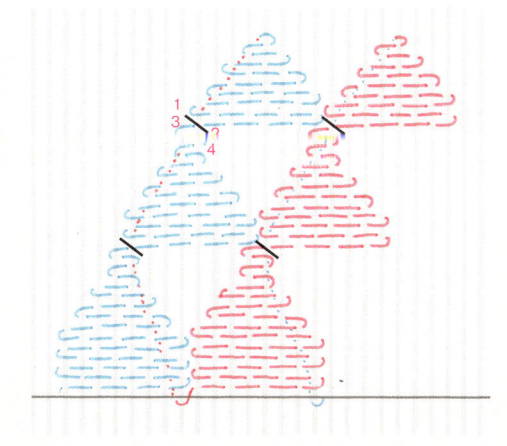

4. 模様を作る

▶ 結びかがり

土台の糸に結び目を作り、模様を表現するテクニック。モチーフの中央や円の縁のラインに、よく使われています。土台の糸1本に結び目を作る場合や、複数本をまとめて結ぶ時もありますが、図案に指示された本数を一度にまとめて結び目を作って下さい。結び目を適した場所に作るには、糸の引き加減がポイントになります。

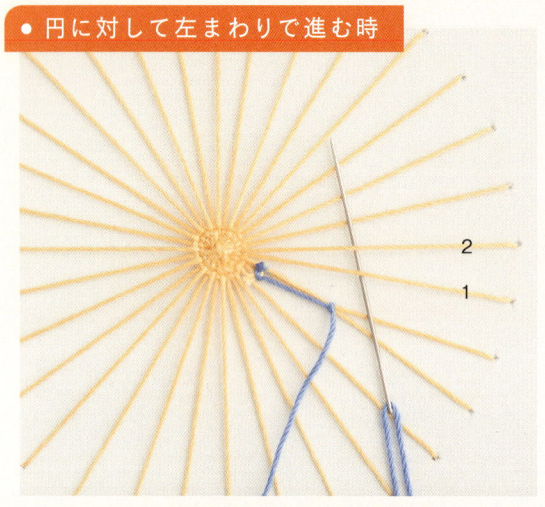

● 円に対して左まわりで進む時

01　土台の糸の下に針を写真のように置く。結ぶ糸の本数は図案の指示に従う。ここでは、2本をまとめて結ぶので、1と2の糸の下に針を置く。

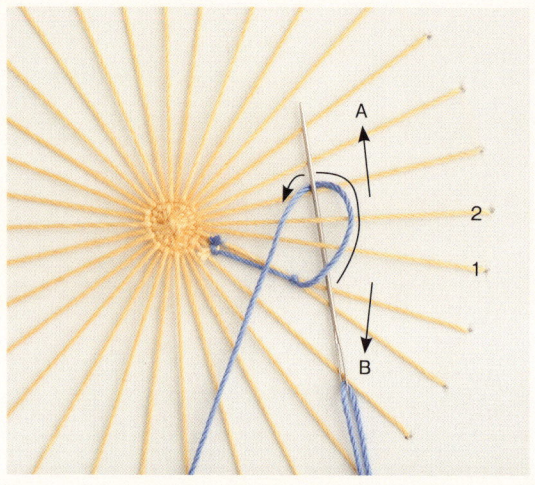

02　1、2の糸の下に針がある状態のまま、糸を針の頭に左まわりにかける。写真のように糸をかけたら、針を矢印Aの方向へ引き出す。

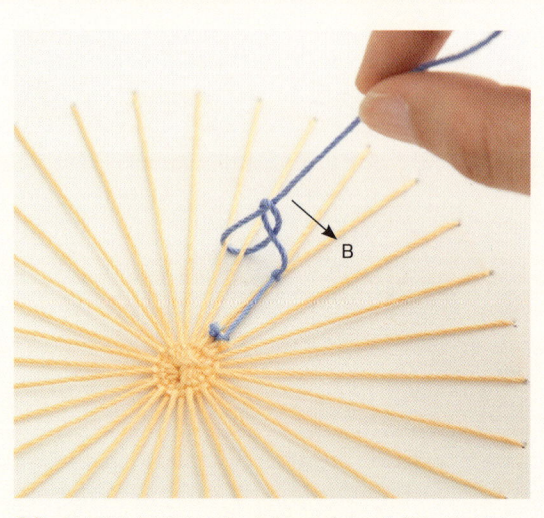

03　針を引き出したら、次に矢印Bの方向へ糸をゆっくり引く。

04　布の上の糸の輪がどんどん小さくなっているところ。

05　矢印Bの方向へ糸を引き、玉結びを作る。

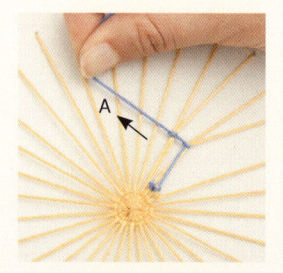

06　結びができたら、再び矢印Aの方向へ糸を引き、結び目の位置を調整する。

07　土台の2本の糸に結びかがりが出来たところ。

🌼 基本の作り方

● 円に対して右まわりで進む時

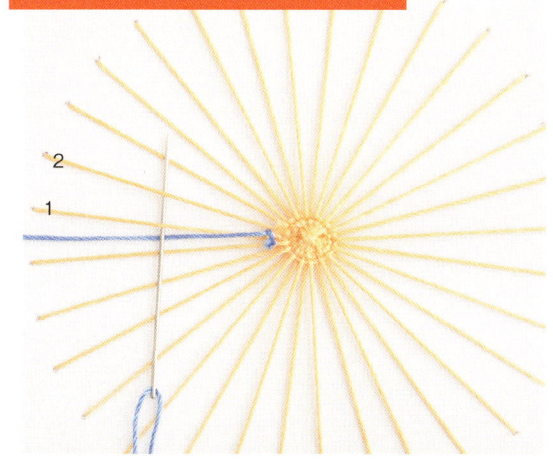

01 1,2の糸の下に針を置く。針につながっている糸も針の下に置く。

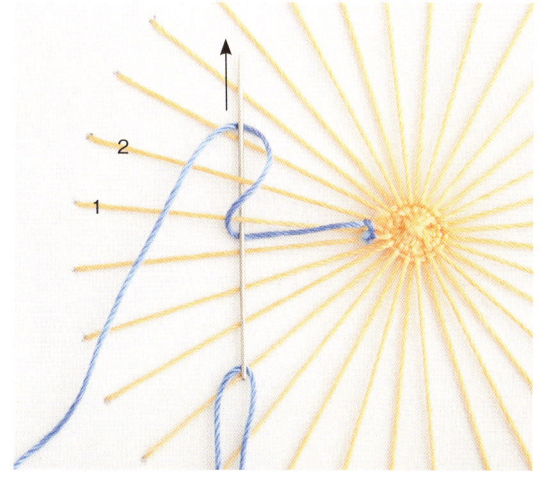

02 針の頭に、左まわりに糸をかけて、矢印の方向へ針を引き出す。

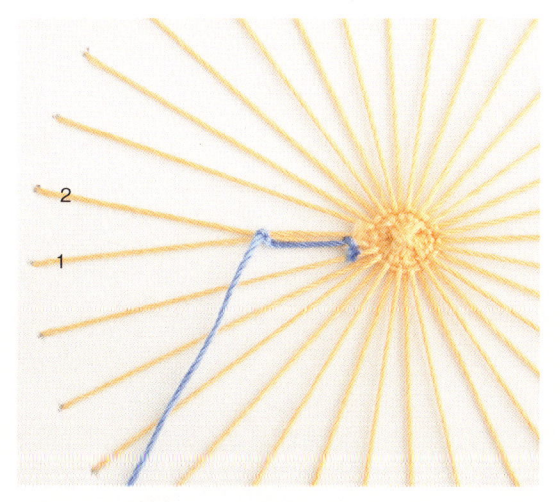

03 ＜結びかがり＞が一つ出来たところ。

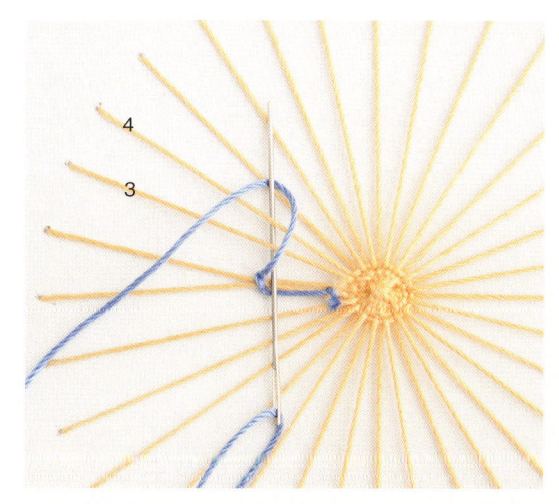

04 完成した＜結びかがり＞の上側の糸（3.4）に同様に続けて作る。

4.模様を作る

▶ 中央の結びかがり

円形モチーフの中央には、結びかがりで2重の円の模様が作られています。土台の糸を2本ずつまとめて結び、2周めでは、1周めと互い違いになるように2本まとめて結びかがりをします。ここでは、円の閉じ方を中心に説明します。

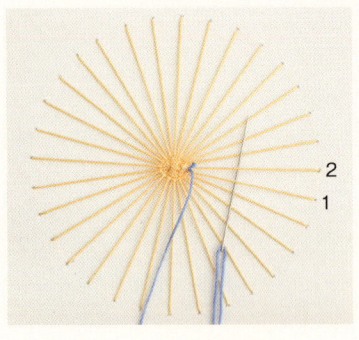

01 土台の糸2本の下に針を置く。どの2本からスタートしてもよいが、ここでは1,2の下に置く。

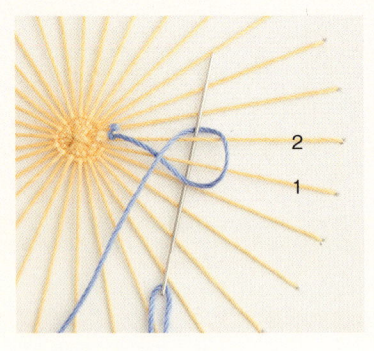

02 結びかがりをする。

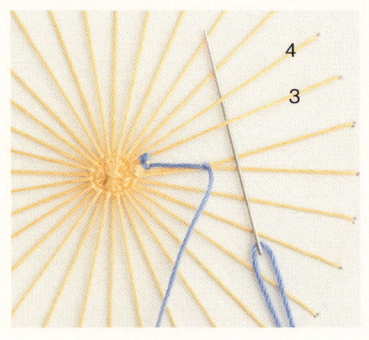

03 3,4の下に針を置き、結びかがりをする。同様に2本ずつ結びかがりを繰り返し、1周する。

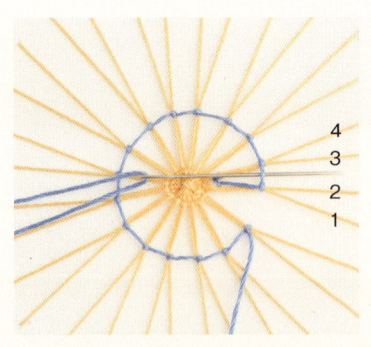

04 1周したら、最初とその左隣の結び目の間に針を通す。

05 2周めは、1周めと互い違いになるように同様に2本まとめて結びかがりをする。

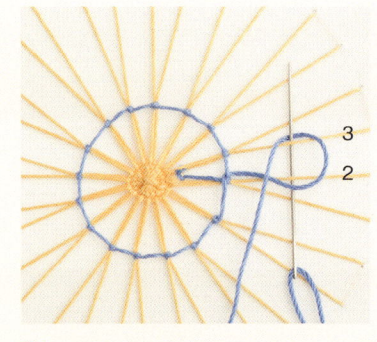

06 2,3の糸に結びかがりする。

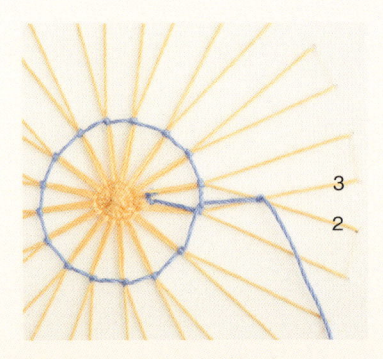

07 2周めの最初の結びかがりが出来たところ。同様に1周繰り返す。

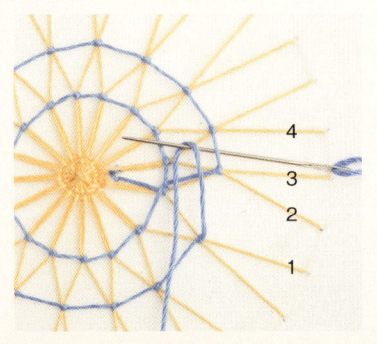

08 最後は、3と4の間から針を中心に向かって通し、糸を図のように巻き付けてから針を抜く。

09 結びかがりで2周の円が完成したところ。ここからそれぞれの模様を作る。

基本の作り方

▶ 模様の間の移動

モチーフは、一つの模様を何回か繰り返して作られます。また、基本的に全ての模様は一筆書きのようにつながっているので、一つの模様の終点から次の模様の始点までは、糸を移動させる必要があります。下の代表的な例を参考にして下さい。

● 後ろ通して降りてくる

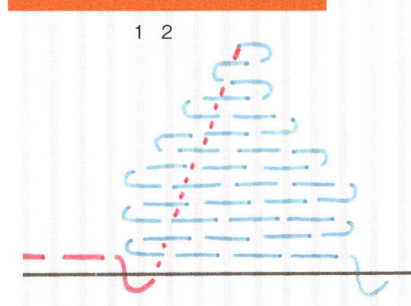

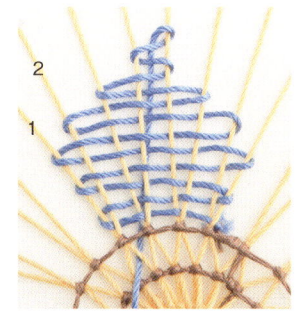

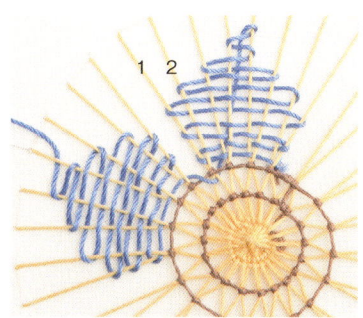

全体の後ろを通り、一番端の2本（1.2）の間から糸を出す。

● ＜織りかがり＞で降りてくる

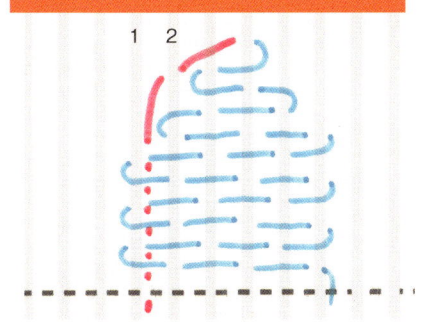

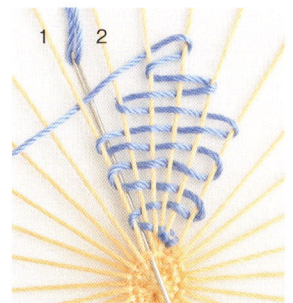

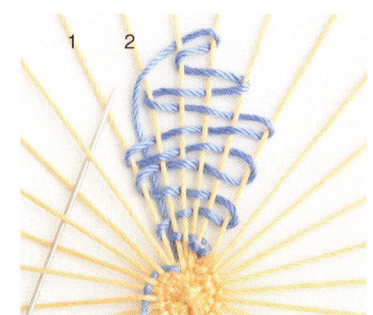

土台の糸を互い違いに1段織るように降り、一番端の2本（1.2）の間から糸を出す。

● 模様の間を移動する

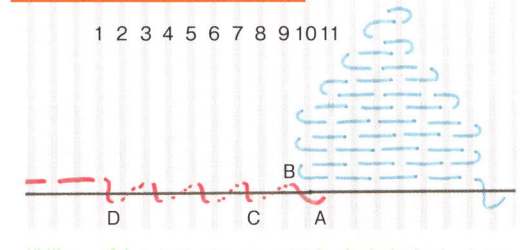

模様の一番上から10,11の間のAに糸を出す。次に、9と10の間のBから、7と8の間のCへ針を通し、同様に図のように糸を進め、最後は1と2の間のDに針を出して、1から次の模様を作る。

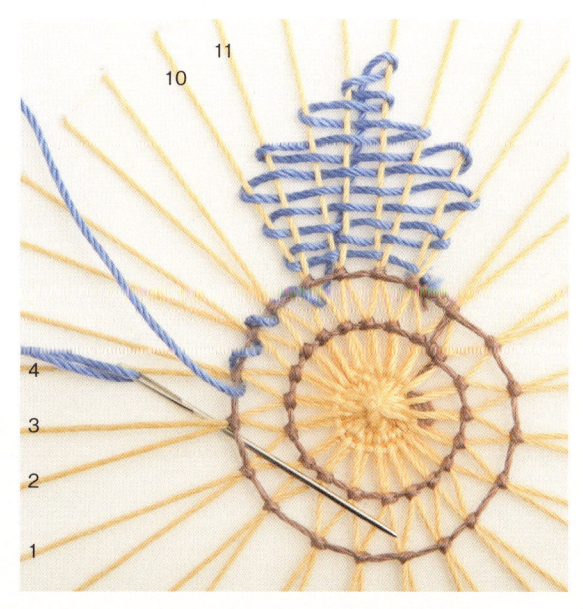

59

共通のテクニック
▶ 玉どめつなぎ

土台の糸を縫い始める時や模様の糸を始める時に用いるニャンドゥティ独特の方法。玉結びのすぐ上の糸を針で割って、糸の間に糸を通すので、先の尖った針を使います。A、Bでは、土台の糸の1点につなぐ例を紹介しますが、土台の糸の縫い始めCもこの応用です。

● A．aの縫い目に糸をつなぐ

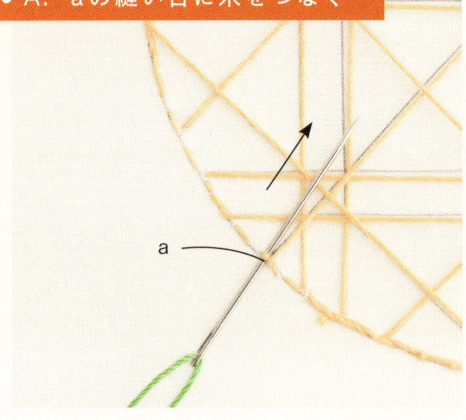

01 糸端に玉結びを作り、糸をつなぎたい土台の縫い目aの糸の下を通って針を出し、矢印の方向へ糸をひっぱる。

02 針に通した糸端の玉結びのすぐ上の糸を針先で割って、針を通す。

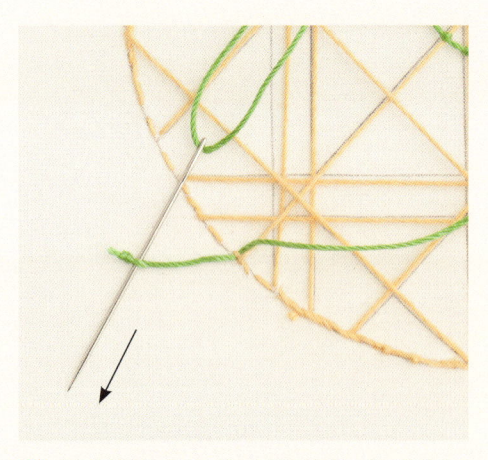

03 糸に針を刺したところ。矢印の方向へ全ての糸を引ききる。

04 土台の糸に、模様の糸がついたところ。

● B．ウェボの土台の糸の始点　→ P.84

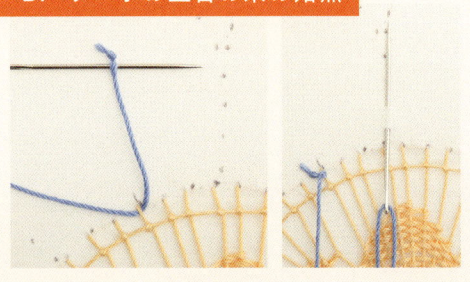

● C．円形モチーフの土台の糸の縫い始め　→ P.46

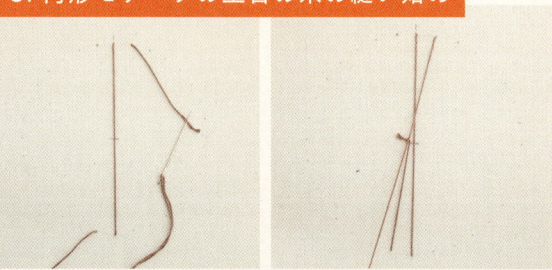

> 基本の作り方

共通のテクニック
▶ 玉どめで終わる

模様を全て作り終わったら、そのまま糸を切らずに、玉どめを1つ作ってから終わりにします。下の例を参考に、どの場所でも共通の方法で行って下さい。

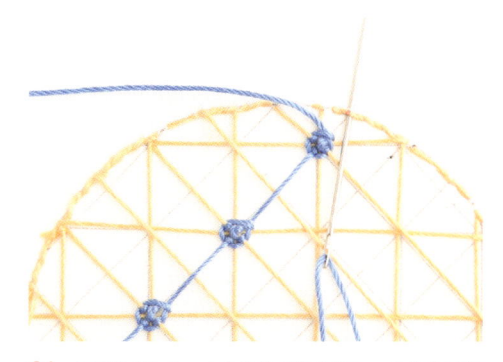

01 玉どめをしたい土台の糸に針を通し、糸を全て出しきる。

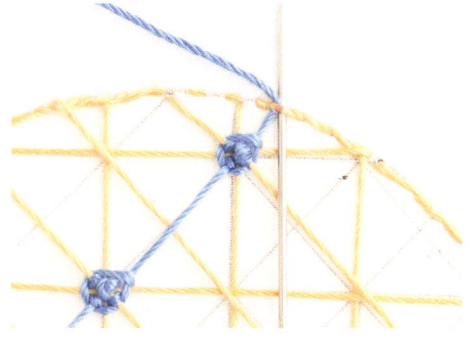

02 再度、同じ土台の糸の下に針を置く。

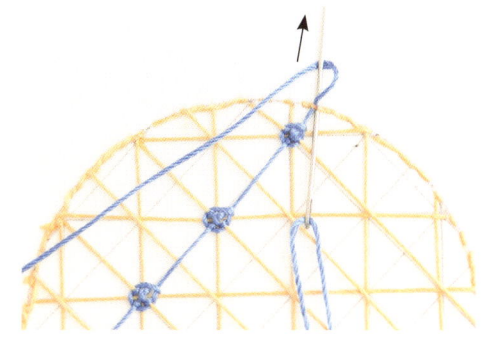

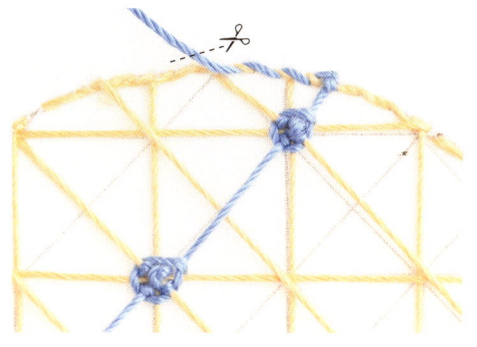

03 糸を針の先に、左回りにかけてから、矢印の方向へ引き、玉どめを作る。

04 近くの縫い目に少し絡ませてから、糸を切る。

▶ 円の模様を閉じる

円の縁に結びかがりで1周模様を作ったら、1つめと2つめの結びかがりの間に、結びかがりを1つ作る。近くに糸を少し絡めてからはさみで糸を切る。

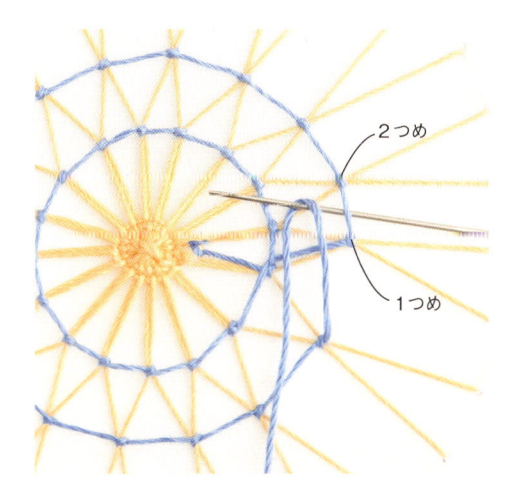

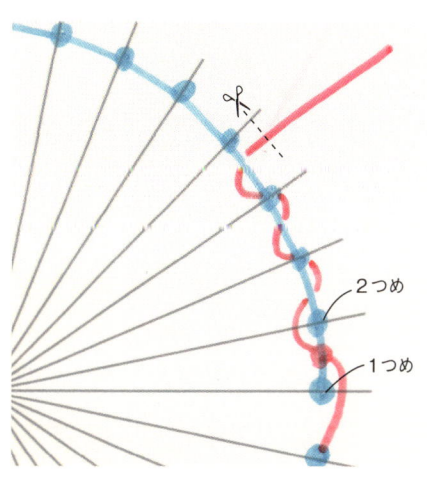

2つめ
1つめ

2つめ
1つめ

5. 布からモチーフを切り取る

モチーフを作り終えたら、布からモチーフを切り取る最後の始末をします。パラグアイでは、キャッサバという芋の澱粉で糊づけされていて、ある程度の堅さがあります。キャッサバ粉は、タピオカ粉、タピオカスターチという名前でも売られています。糊づけは、枠に布を張ったまま行います。

● 1. モチーフの裏の布を切り取る

切りとり線

モチーフを全て作り終わったところの布の裏側。枠に布を張った状態のまま縫い目よりも8mmくらい内側をはさみで切り取る。

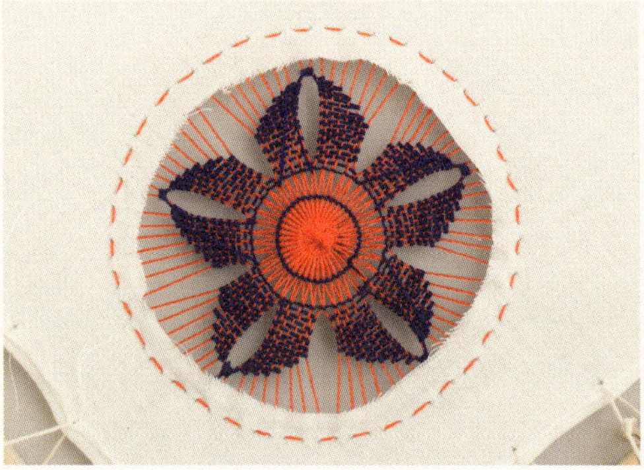

布を切り取ったところ。

● 2. 糊づけする

刷毛で糊づけする。

材料
キャッサバ粉　4グラム（小さじ1）
水　100cc

糊の作り方
- 100ccの水を鍋に入れ、キャッサバ粉を加えてよくかき混ぜる。火をつけたまま、かきまぜ続けて、透明になり煮立ったら出来上がり。
- キャッサバ粉の代わりに、ボンドを水で薄めたものやスプレータイプの洗濯糊で糊づけすることも出来る。
- 作品に合わせて、糊の堅さは水の量で調整する。

糊づけの詳しい方法
1. モチーフが汚れている場合は、やわらかいブラシで洗い乾燥させる。
2. やわらかい刷毛、または手でまんべんなく裏と表に糊をつける。
3. 5分ほど天日に干してから余分な糊を吸収のよいタオルできれいにふき取る。この時、モチーフとふちの布が乾いた時に、くっつかないようにきれいにはがしておきます。
4. 糊を自然乾燥させる。

● 3. モチーフを切り取る

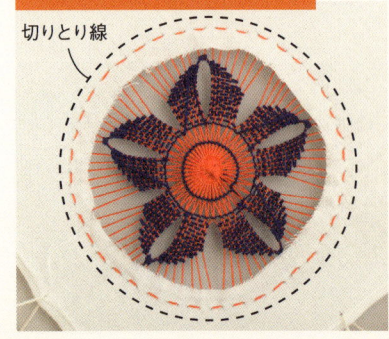

切りとり線

縫い目から1mmくらい外側をはさみで切り取る。

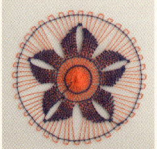

モチーフの縁についた布を取ったら完成。

基本の作り方

ニャンドゥティ作りの ポイント

✤

ニャンドゥティ作りをきれいに楽しく仕上げるためのポイントをまとめました。

ニャンドゥティ用の四角い枠に張る布は、なるべくピンと張ります。枠に布を張る時に、最後の角に糸を結びつける前に、1つめの角から再度、糸を少しずつ強く引っぱってくるのがポイントです。布がしっかり張れていれば、モチーフの糸はたるまない程度に引っ張っておけば大丈夫です。布の張り方がゆるいと、きれいにモチーフが仕上がりません。

ニャンドゥティ用の四角い枠に布に複数の円形モチーフを作りたい場合は、布の一面に円形モチーフを配置して下さい。ただ、最後に布からモチーフを切りとりやすいように、慣れないうちは、隣のモチーフとの間は1cmぐらい空けて下さい。全てのモチーフが完成してから、まとめて糊づけし、布から切り取ります。

パラグアイでは、図案の本数にはあまりこだわらず各自の感覚で糸を張り、張った後で本数を数え、モチーフごとに必要な本数を割り出し、つじつまを合わせます。図案の1模様の本数や図案のある部分が指示通りの本数に出来なかった時でも、そのほかの場所の本数を増減し、全体で合計の本数になれば問題ありません。

織りかがりや結びかがりをする時の糸の引き具合によって、モチーフの模様の形は少しずつ変わります。織りかがりの段と段の間をどれくらいにするかなどは、完成作品の写真の形を参考にして、模様を作って下さい。経験を積むことで、どれくらいの加減で糸を引くかがわかってきます。

掲載の作品は全て8番刺繍糸で作られていますが、作り方は同じに、糸の種類を変えれば、違う大きさ、雰囲気の作品を作ることが出来ます。また、ジャスミンの花や星のような比較的、シンプルなモチーフの場合には、モチーフの仕上がりサイズと土台糸の本数は好みに調整しやすいので、いろいろなバランスの模様を作ることが出来ます。

作品アイディア 1
ジャスミンと三角モチーフのピアス

仕上がりサイズ
・ジャスミンのピアス 直径3.5cm ・三角モチーフのピアス 4.4cm×4.4cm
材料：8番刺繍糸（茶434、青995、黄色444、赤817、紫550、緑906、模様3865）、ピアス金具、丸カン

\idea/
ジャスミンは、P.40〜63の円形モチーフの作り方と同じで、サイズを小さくして作ります。三角モチーフは、ニャンドゥティの大きな作品の中で模様と模様の空間をつなぐためによく用いられる模様です。ここでは、その形をそのままにピアスにしました。

\point/
1　土台の線を下書きする。
2　放射状に土台の糸を張る。
3　図案の通りに模様を作る。
4　糊づけし、布から切り取る。
5　ピアス金具をつける。

三角モチーフの土台の糸を張る

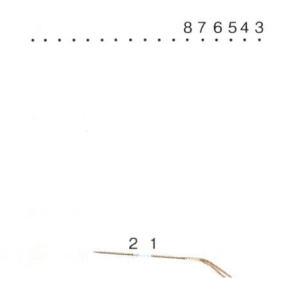

01 糸端に玉結びを作った1.5mの糸を針に通し、1から2に出す。

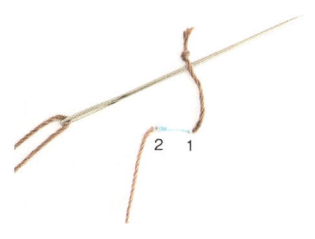

02 糸端の玉結びの上の糸を針で割って、糸を通す。

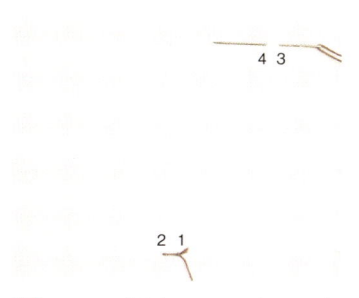

03 1～2に針を出し、2から出ている針先に糸を回しかけ、結びかがり（P.56）をする。その次に、3から4に針を出す。

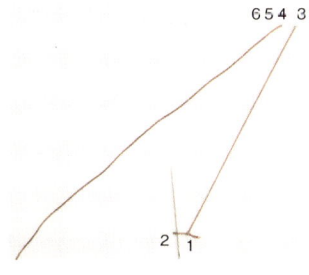

04 1～2の縫い目に針を通してから、5から6に針を出す。

05 1～2の縫い目に針を通してから、1目縫うを繰り返し、全部で20本の糸を張る。最後は1～2の縫い目に玉どめし、模様の糸をつなぐ。

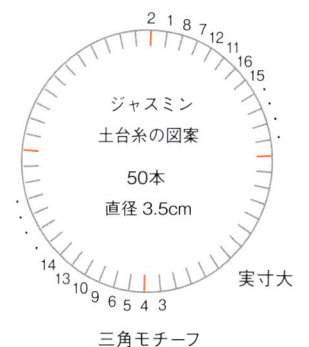

ジャスミン
土台糸の図案
50本
直径3.5cm
実寸大

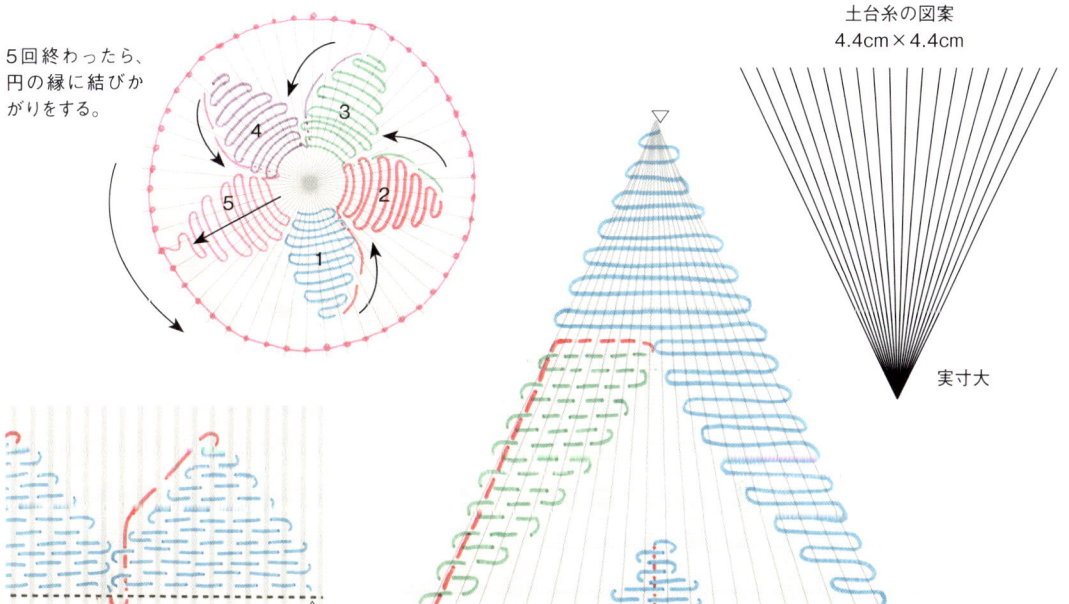

三角モチーフ
土台糸の図案
4.4cm×4.4cm

5回終わったら、円の縁に結びかがりをする。

実寸大

ジャスミン模様
10本の土台糸の花びらの1模様（上の図）を5回繰り返す。

三角モチーフ模様

△始点

作品アイディア2
ジャスミンのコサージュ

材料
8番刺繍糸、造花用花芯、
造花用テープ、針金、
アクセサリー金具（ブローチピンやヘアピンなど）

idea
ニャンドゥティの円形モチーフを立体作品に応用する。図案の本数などを参考に、好みのサイズで作ってみて下さい。

point
1 円形モチーフの作り方と同様に、5枚の花びらのジャスミンの円形モチーフを作る。P.62を参考に糊づけし、布から円形モチーフを切り取る。ここでの糊づけには、ボンドを水で薄めたものを使って、通常よりも固く仕上げる。

2 モチーフの花びらの形に沿って、花の形にはさみでカットする。（図3）

3 花の中心の織り目の間に、造花用の花芯を通す。花の下の花芯の紐を針金でまとめる。針金の上から、造花用のテープを巻き付ける。

4 3で作ったジャスミンの造花に、ブローチピンやヘアピンをつけて、好みのアクセサリーに仕立てる。花を1つだけ使うのもよいし、複数をまとめて大きなコサージュを作ってもよい。

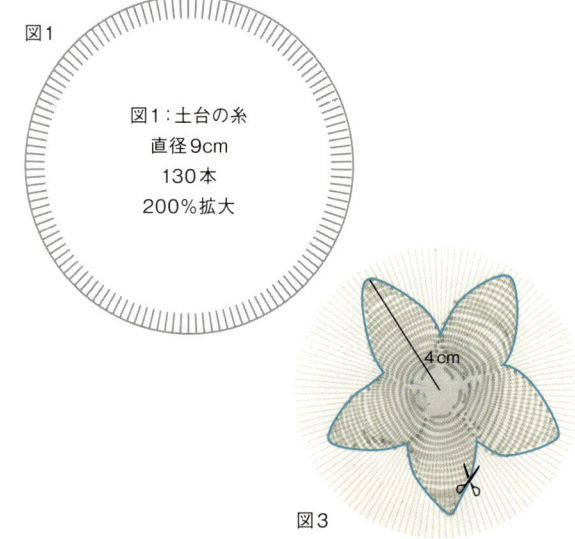

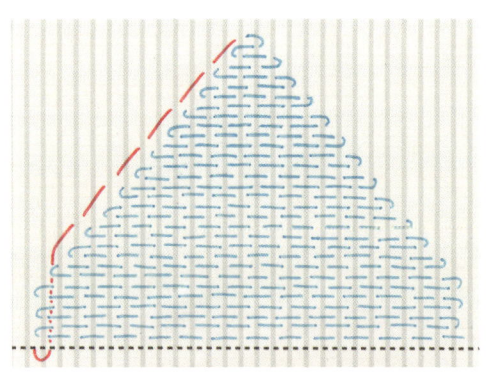

図2:花びら1枚の織り順

図1:土台の糸
直径9cm
130本
200%拡大

図3

作品アイディア3
ニャンドゥティのオーナメント

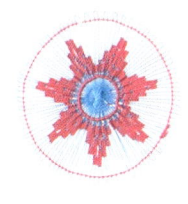

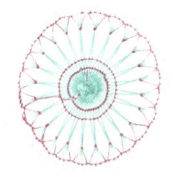

材料
円形モチーフ適宜、リボンまたは紐

\idea/
円形モチーフを好みの配色で作り、リボンや紐に結びつけてオーナメントを作ってみましょう。モチーフが軽いので、マスキングテープなどを使って、窓辺や天井から簡単に吊るすことができます。

パラグアイのお針子によるニャンドゥティ作品集

ニャンドゥティ職人の高度な技術で作られたニャンドゥティの数々。色彩と模様が溢れる美しい糸の世界をお楽しみ下さい。

Sindulfa Pereira Delgado

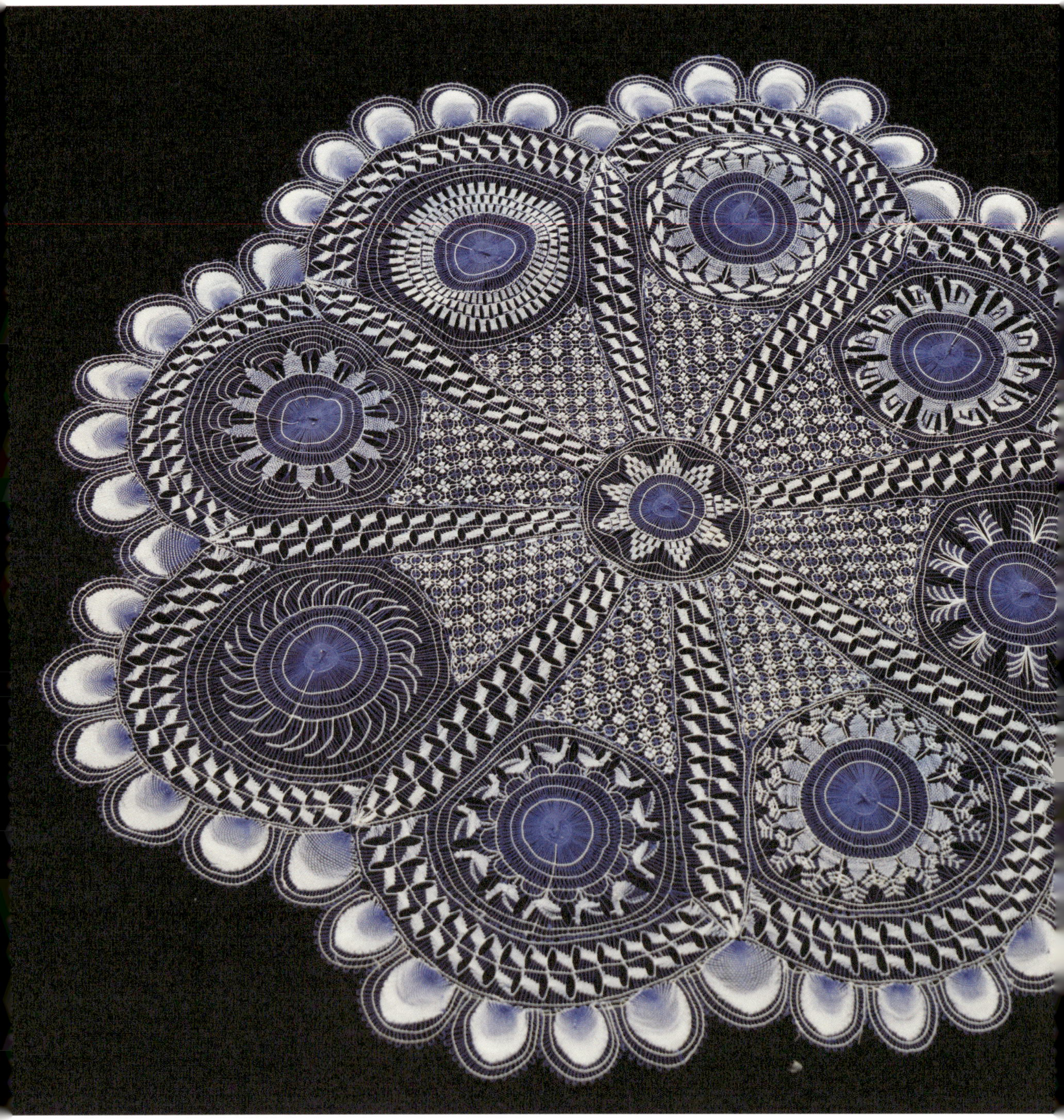

Eliodora（Chiquita）Ramos de Martinez 40cm×40cm

Eliodora（Chiquita）Ramos de Martinez　42cm×42cm

73

74

Sindulfa Pereira Delgado 35cm×35cm

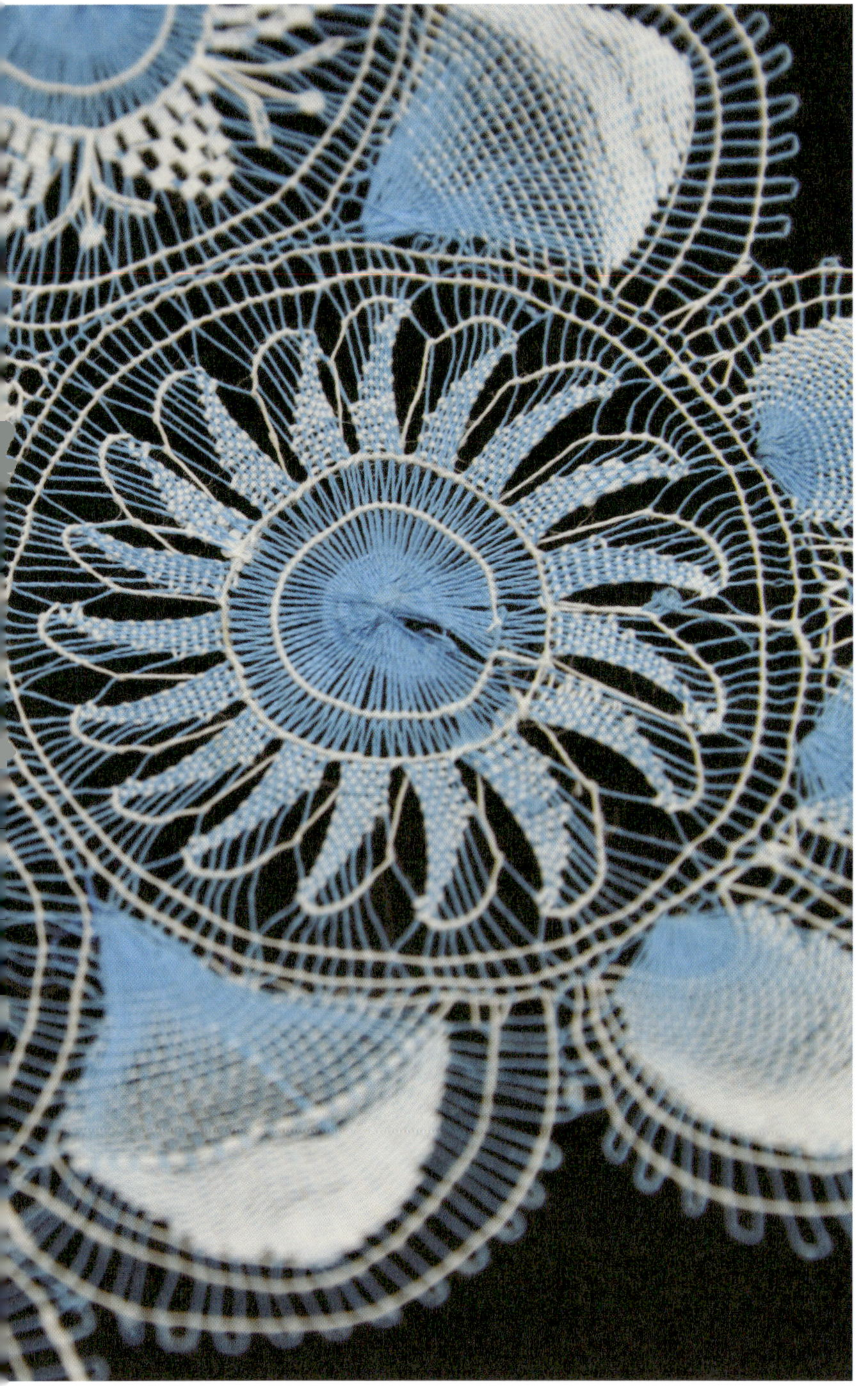

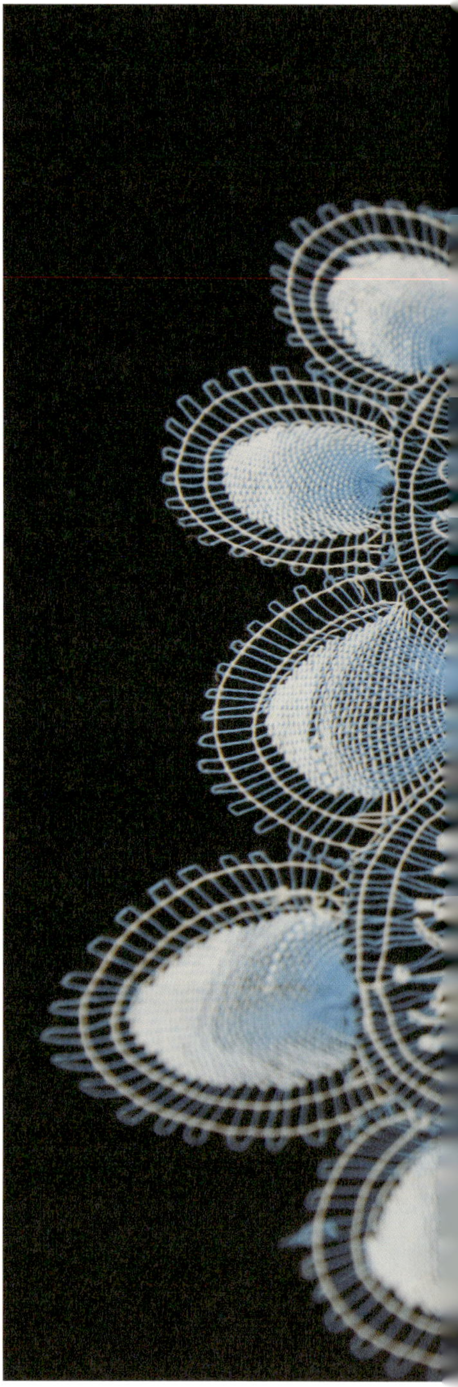

Eliodora (Chiquita) Ramos de Martinez 39cm×25cm

78

Eliodora (Chiquita) Ramos de Martinez 35cm×35cm

ニャンドゥティのお針子たち
シンドゥルファ・ペレス・デルガードさん
Sindulfa Pereira Delgado

シンドゥルファさんは、7歳から母と叔母からニャンドゥティを習い始めました。母と叔母の厳しい指導のおかげで、常によりよいものを作るように心がけていると言います。ニャンドゥティ職人の中でも、誰もが認める腕前の持ち主で、一般的なニャンドゥティの糸よりも、細い糸を使った繊細な作品には、シンドゥルファさんの技術が存分に活かされています。時代が進むにつれて、職人が使う糸も太くなっていく傾向がありますが、そんな中でも、細い糸で作られた大きくて、豪華なニャンドゥティを作り続けてる希少な職人の一人です。

シンドゥルファさんのニャンドゥティの魅力は、伝統的な模様を用いた、明るく楽しい色調の作品です。彼女が制作した作品の人気は高く、手がけたニャンドゥティには、すぐに買い手がつくことが彼女の自慢です。そして、ニャンドゥティ職人の専業によって、子供たちに高い教育を与え、育てたことを誇りにしています。現在は、娘のマリアさんも母と同じ職人となり、一緒に様々な商品を作っています。

今年で75歳になるシンドゥルファさんのニャンドゥティ職人としての日々はこれからも続きます。

1. シンドゥルファさんと作品。
2. 複雑な模様を細い糸で作ったテーブルセンター。(P.68〜69と同じ)
3. 何色もの糸を組み合わせた配色がすばらしい。直径約30cm。
4. パラグアイの職人達は、左手を布の下に置き、模様を作るところを誘導しながら、右手だけで模様を作る。
5. シンドゥルファさん親子と大型の木枠で作られたニャンドゥティ。

ニャンドゥティのお針子たち

エリオドーラ（チキータ）・ラモス・デ・マルティネスさん

Eliodora (Chiquita) Ramos de Martinez

小さな頃に母、叔母、祖母からニャンドゥティを習ったというチキータさん。小学校教師を退職後に本格的にニャンドゥティ作りに取り組み始めました。伝統的な模様と独自の創作モチーフを融合した優雅で繊細な作風が魅力です。大きな樹木を表したニャンドゥティ作品でも、その一つ一つのモチーフには、パラグアイに伝わる昔ながらの模様が散りばめられています。高度な技術とオリジナリティあふれる作品は、パラグアイ国内や国際的な手工芸のフェスティバルや展覧会において、数多くの賞を得ています。

チキータさんは、自らの創作活動だけでなく、伝統技術の継承やニャンドゥティの発展のために尽力してきました。その活動が認められ、2008年には伝統工芸への貢献に対して、ユネスコから感謝状が贈られています。同じ年と2010年に、ニャンドゥティの歴史や作り方をまとめた本をパラグアイ政府と共に出版。それ以外にも、ニャンドゥティと現代のファッションを融合する試みとして、毎年、ニャンドゥティのファッションショーも企画しています。このショーを通じて、ニャンドゥティに関連する服飾産業を発展させたいという思いからスタートしました。

パラグアイでは、ニャンドゥティの職人の数が減り、高度な技術を持つ職人の高齢化も問題になっています。このような危機感から、チキータさんは仲間と共に、2013年にイタグア市内に、手工芸の専門学校を開設しました。国内の若い世代に対してはもちろんですが、国外の人でも受け入れるという、ニャンドゥティの優れた職人を育成するための開かれた学校となっています。パラグアイから世界中にニャンドゥティを広めたいという夢の詰まった学校です。職人やデザイナーという枠を越え、幅広く活躍するチキータさんの一つ一つの活動が、ニャンドゥティの未来を育てていきます。

1. パラグアイではチキータの愛称で親しまれている。
2.3. 多彩なモチーフを組み合わせた作品は、チキータさんのデザインによるもの。細いミシン糸を使った繊細な作風が特徴。
4. イタグア・ニャンドゥティの村財団（Asociación Itaguá Tava Nanduti）が経営するニャンドゥティの学校。
5. ニャンドゥティの学校で、ニャンドゥティ職人のイルダ・ガオナから学ぶこども達。

81

作り方 2

huevo
ウェボのドイリー

円形モチーフのまわりにウェボと呼ばれる模様を配したデザイン。ウェボとは、卵や日の出、半円を意味するスペイン語です。このドイリーでは、8コのウェボの模様をつないでいます。パラグアイの代表的なニャンドゥティのデザインの一つで、このほかにも、民族衣装の襟まわりやテーブルクロスなど、様々な場所でよく使われています。

ウェボのドイリー：直径16cm、
8番刺繍糸使用（土台の糸742、赤666、緑909、水色996、紫550）

ウェボのドイリーの作り方

手順の流れは円形モチーフと同じです。土台の糸を張り、その上に模様を作り、1つずつウェボの模様を完成させながら、左隣に模様を増やしていきます。

P.82のウェボは、8番刺繍糸で作っていますが、プロセスでは、わかりやすく説明するために太めの糸で本数も図案よりも減らしています。実際に作る時は、プロセスを参考に、同様の手順で下記の図案の本数で作って下さい。

1. 図案を布に書き写す
2. 中央の円形モチーフを作る
3. 土台の糸を張る
4. 模様を作る
5. 模様をつなげる

1. 図案を布に書き写す

30cm四方の枠に布をはり、P.45を参考に図案を書き写す。図案は、134%拡大してコピーして下さい。

P.82のウェボの土台の糸の図案
仕上がりサイズ 16cm×16cm
糸:すべて8番刺繍糸

2. 中央の円形モチーフを作る

土台の糸が06本の円形モチーフで好きな模様を中央に作る。
(写真はジャスミンの模様)

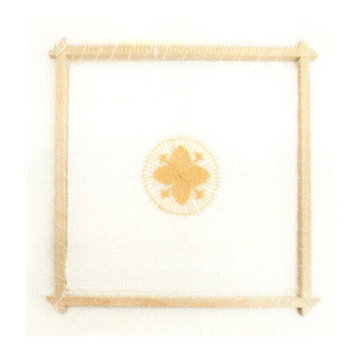

3. 土台の糸を張る

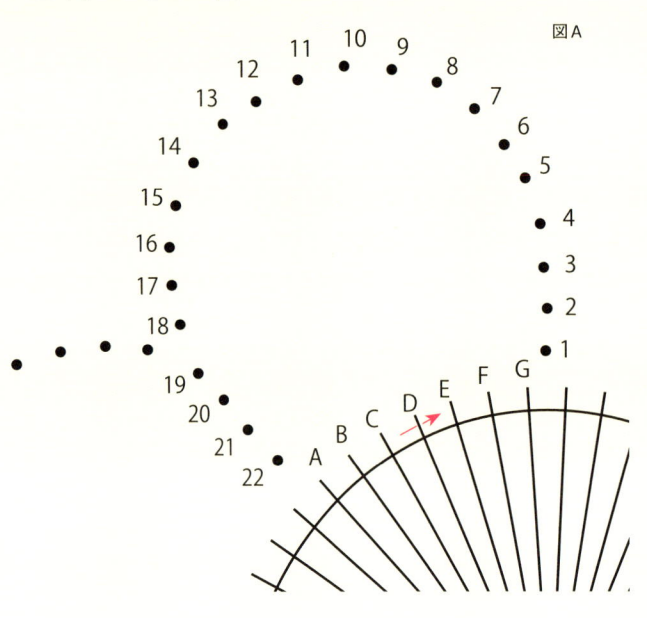

放射状に土台の糸を張ります。1模様の真下にある円形モチーフの糸（A〜G）のうち、1本を支点として糸を通す。支点に糸を通す時は、必ず左から右へ針を通すことがポイントです。

図A

● 支点の決め方

1つのウェボの真下にある円形モチーフの土台の糸の数の半分のところにある糸を支点にします。半分の地点に糸がない場合には、その左隣にある糸を支点にします。ここでは、A〜Gまで全部で7本あるので、ちょうど中央にあたるDの糸を支点にします。例えば土台の糸が6本の場合は、左から3番目の糸を支点にします。

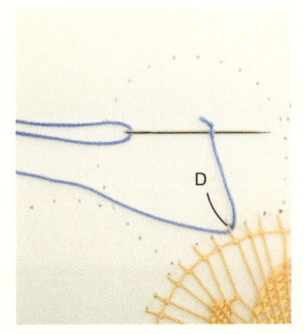

01 支点となるDに、＜玉どめつなぎ＞の方法で、土台の糸をつける。P.60を参照。

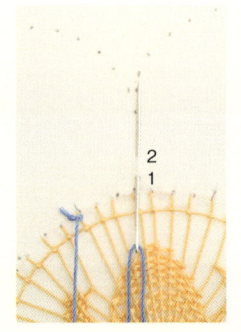

02 1から2を針ですくい、1目縫う。

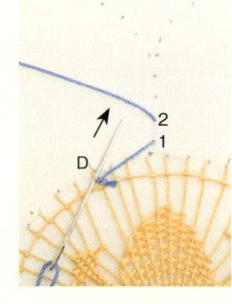

03 Dに、左から右に針を通す。この時、針は糸の下だけを通して、布は縫わない。

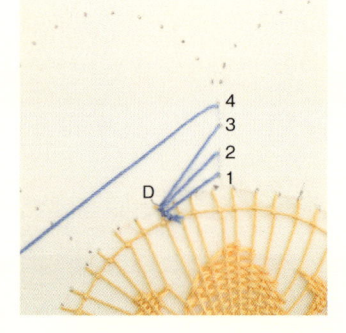

04 3から4を針ですくって、1目縫う。図Aの順に、同様に繰り返して、放射線状に糸をはる。

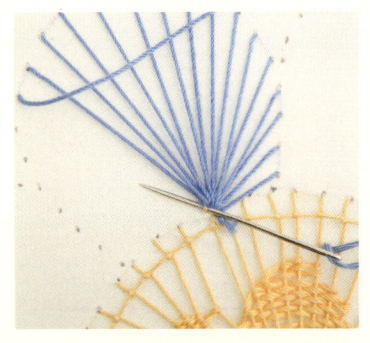

05 次第に、支点Dがせまくなり針が通しにくくなるが、毎回必ず左から右へ糸のみに針を通す。

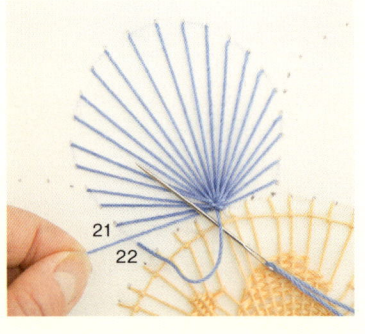

06 21から22を1目縫い、支点Dの糸に針を通したら、22の糸の下に針を通し、結び目を作る。

07 支点Dに結び目が出来たところ。土台の糸を張る作業は終わり。

ウェボのドイリーの作り方

4. 模様を作る

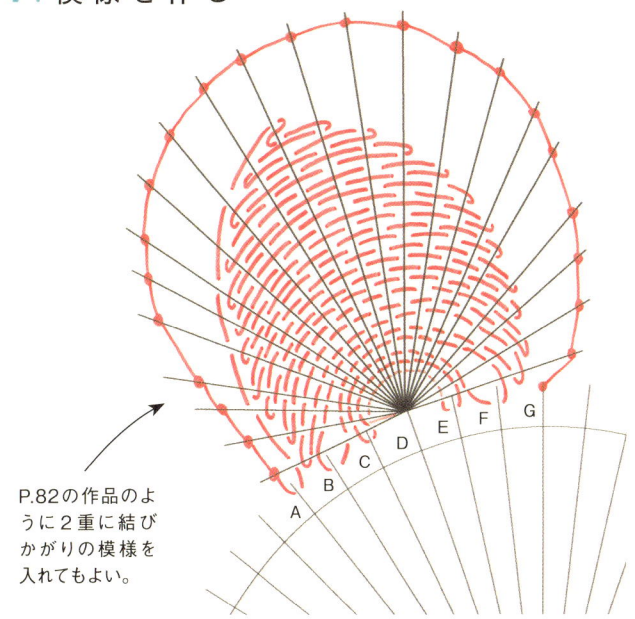

放射状に張った土台に、〈織りかがり〉と〈結びかがり〉で模様を入れます。まずは、支点Dから〈織りかがり〉で半円を織り進めます。それが終わったら、左下から右下へ向かって、〈結びかがり〉で線の模様を加えます。

P.82の作品のように2重に結びかがりの模様を入れてもよい。

●〈織りかがり〉の流れ

2段めから、1段織る毎に黄糸（E,C,F,Bの順）に通して次の段に進む。両端の黄糸（A,G）には通さず、それぞれ左右の土台の糸を1本ずつ減らしながら上まで織りかがりで進む。この場合は、6段までは、全ての糸を通していくが、7段めから1本ずつ減らして、だんだん形を細くしていく。

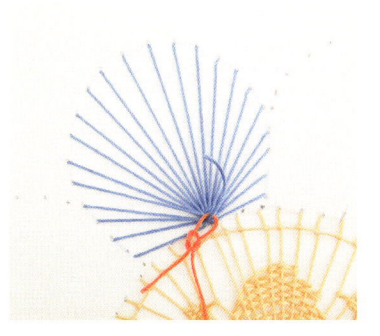

01 土台の糸に、もう1色の糸をつけます。P.49を参照。

02 左端から〈織りかがり〉で1段めを進み、Eに糸を通してから2段めを進む。

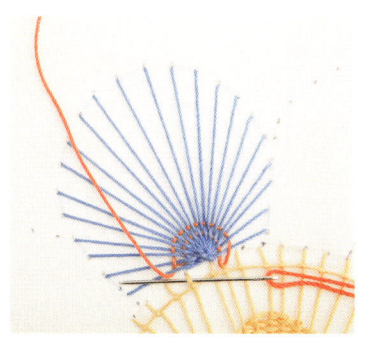

03 2段めが終わったら、Cへ糸を通す。1段織る毎に黄糸に糸を通しながら、5段まで織り進む。

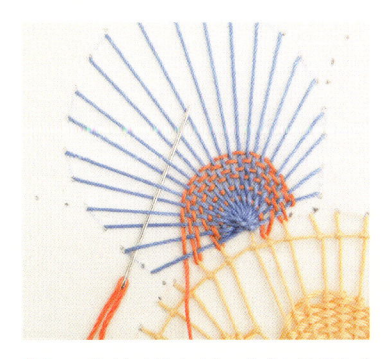

04 5段めと6段めでは、黄糸には通さずに折り返して、上の段へ進む。

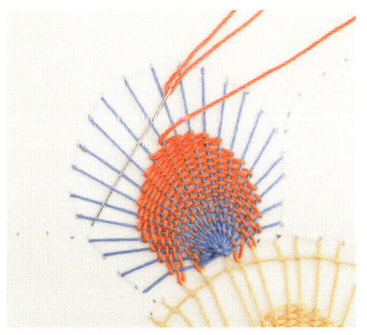

05 8段め以降は、土台の糸を1本ずつ減らして、1本になるまで織り進む。頂上まできたら、織りながら、左下まで降りてくる。

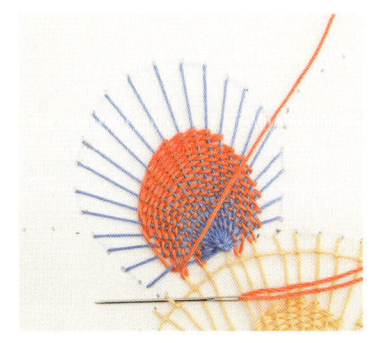

06 Aに通してから、ウェボの外周に、1本に1つずつ〈結びかがり〉をする。

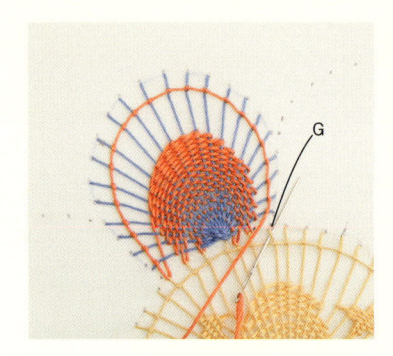

07 一番端のGに針を左から右へ通す。

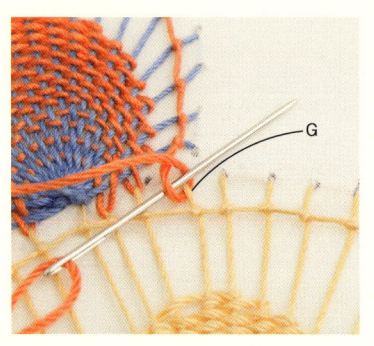

08 写真のように糸の輪に針を通して、Gに玉結びをする。

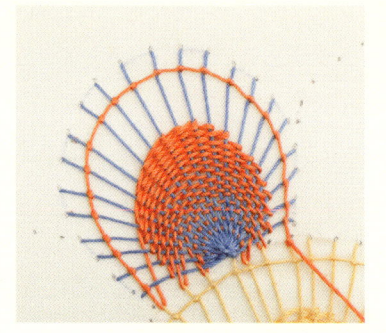

10 ウェボが一つ完成したところ。近くの糸にからませてからはさみで切る。模様が1つ完成。

5. 模様をつなげる

ウェボの一模様が完成したら、左隣に同じ作り方で模様を増やしていく。模様と模様が接するところで、それぞれの土台の糸がかみ合うように糸を張ります。2つめと3つめのつなぎ方は、プロセスの通りに進める。4つめ以降は、同様に繰り返す。

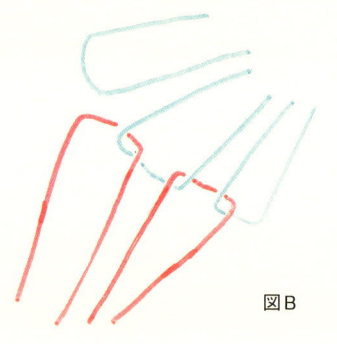

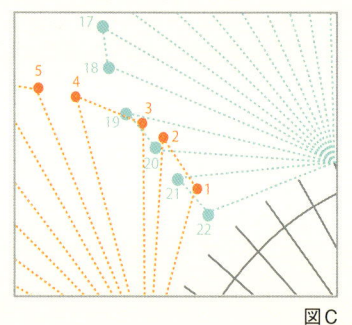

図B

図C

point

● 隣合う2つの模様の土台の糸が図Bのようにかみ合うことで、模様と模様がつながる。糸がかみ合うようにするために、模様と模様が接するところでは、針を出し入れする位置が図案と変わる。

● 2つめの模様の始点の糸は、1つめの終点の下に針を入れるスペースが狭いため、1つめの終点の上から張り始めることになる。始点がずれることで、全体の縫い目が1目分（2本）少なくなる。3つめの土台の糸は、2つめの終点の下にスペースが空くので、1つ目と同じ位置に戻る。

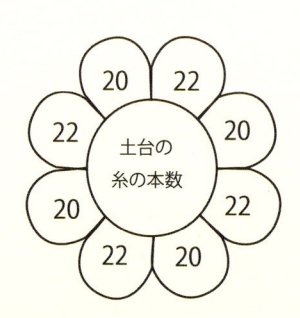

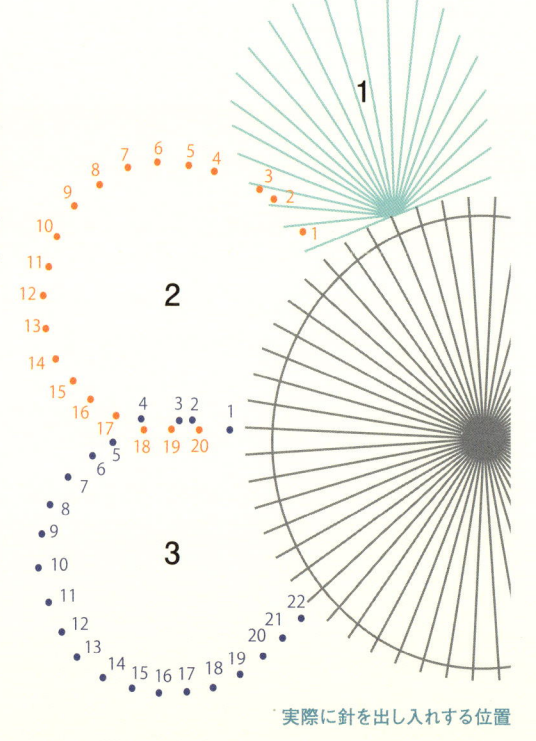

土台の糸の本数

	20	22	
22			20
22			20
	20	22	

実際に針を出し入れする位置

86

ウェボのドイリーの作り方

● 2つめの模様をつなぐ

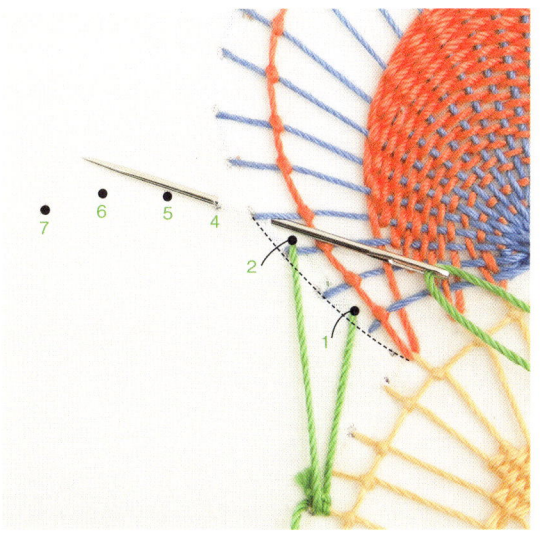

01 1目めは、1つめの模様の22の上から針を入れ20のすぐ上で出す。次は、19のすぐ下から針を入れ4に出す（図C）。模様が接している所では1つめの模様の輪郭線（点線）よりも右側で、針を出し入れする。

02 4から20まで図案の通りに針を出し入れする。2つめでは、針の出し入れする回数が1目分少なくなるので、最後の点が1つ余り、土台の糸は全部で20本になる。

● 3つめの模様をつなぐ

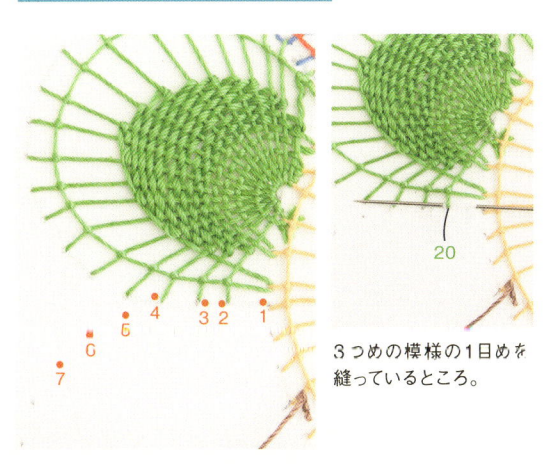

3つめの模様の1目めを縫っているところ。

01 2つめの終点の位置の下が空くので、3つめでは、始点が1つめと同じ位置に戻る。

02 5から22までは、図案の通りに針を出し入れする。3つめでは、土台の糸が全部で22本にとなる。

03 4つめ以降の模様も同様の作り方で繰り返す。

87

作り方 3

arasape

filigurana

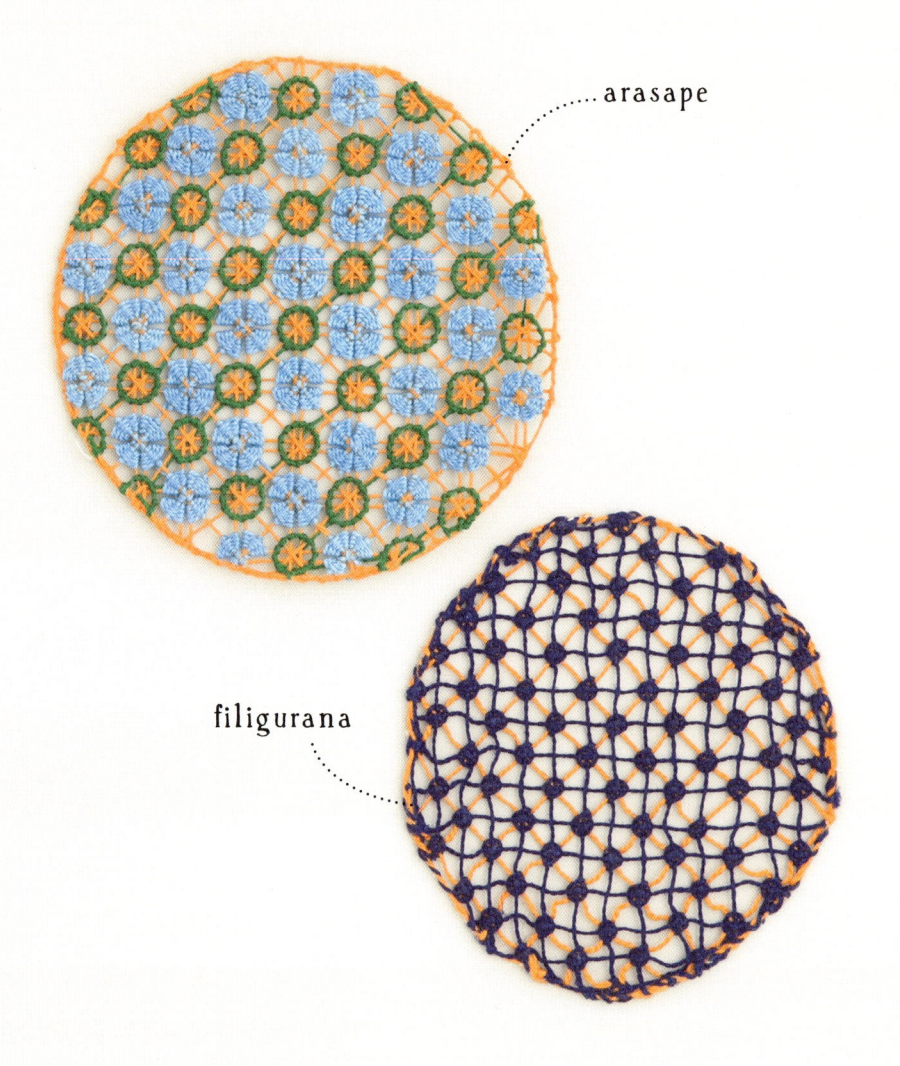

arasape, filigurana
アラサペ、フィリグラナの模様

アラサペとフィリグラナの模様は、伝統的な模様として多くのニャンドゥティに見ることが出来ます。フィリグラナは、パラグアイに伝わる金銀細工のフィリグラナから名づけられた模様です。アラサペは、花と円の2つの模様で構成されていて、花はグァバの花を、円はグァバの実を表しています。これは、土台の糸が12本なので、パラグアイではアラサペ12と呼ばれています。16本のものもあります。ドイリーの中央や、モチーフとモチーフをつなぐための面として、よく用いられます。どちらも、まずは布に図案を下書きし、土台の糸を張ってから、模様を作っていきます。

アラサペ：直径9cm、8番刺繍糸（オレンジ740、水色996、緑699）
フィリグラナ：直径7cm、8番刺繍糸（オレンジ740、紺820）

土台の線を書く

アラサペ、フィリグラナの作り方

枠に張った布に土台の糸の図案を書きます。土台の図案は、カーボン紙で書き写すほか、
下の手順で定規やコンパスなどで計りながら、鉛筆やチャコペンで書いていくことも出来ます。

01 円と中心点を通る十字を書く　　02 十字の線から等間隔に罫線を書く　　03 斜線を書く

● アラサペ

直径9cm　　　　7mm×7mm　　　　2mm幅の斜線を書く

● フィリグラナ

直径7cm　　　　7mm×7mm　　　　斜線を書く

● アラサペ

実寸大

● フィリグラナ

実寸大
※青線は模様の糸の線

89

アラサペ　＊説明のためにP.88の作品よりも本数を少なくしています。

1. 土台の糸を張る

円の輪郭線を並縫いし、その後は図の順に糸を張っていく。1本の線の終点から次の始点までは、1の並み縫いの縫い目に糸をからませて進む。5の縫い終わりは、P.61の＜玉どめで終わる＞の要領で終わらせる。

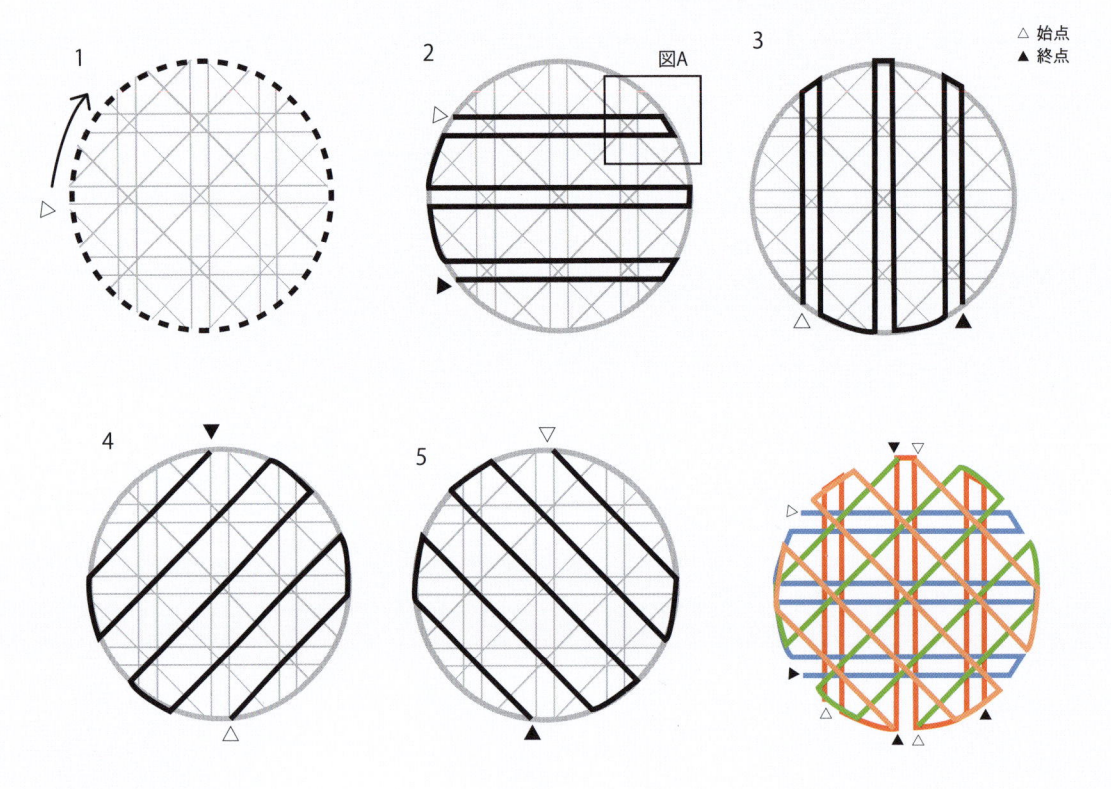

△ 始点
▲ 終点

point

1本の線の始点と終点では、縫い目に糸を絡ませるだけでなく、土台の布と糸を一緒に縫うようにする。こうすることで、角の糸がきれいに曲がる。

● 放射状に糸を張る

左側の始点から、輪郭線の少し外側の1に針を入れて、輪郭線の少し内側の2に針を出す。2から出した糸を円の縫い目に絡ませて、次は3に針を入れて、4に針を出す。ここでは、1と2と同様に布と輪郭線の糸を一緒に縫っている。これ以降も、円の輪郭線の角では、このように1,2mmだけ布を縫うようにする。こうすることで、角で糸が安定する。

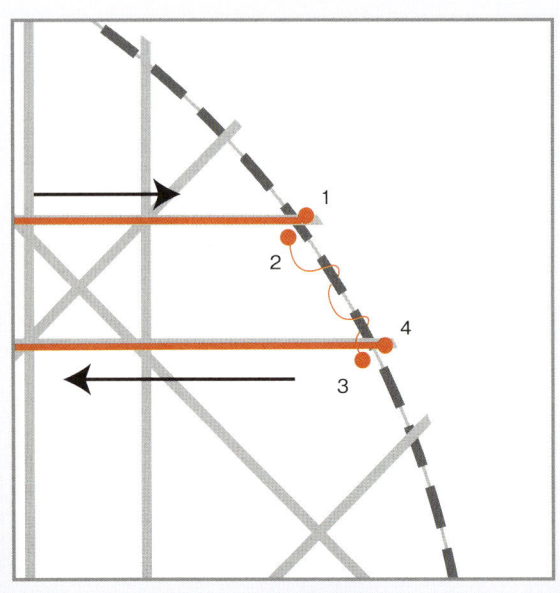

図A／プロセス2の拡大図

90

アラサベ、フィリグラナの作り方

2. 花の模様を作る

1つの花模様が出来たら、左下の矢印の方向へ進む（図1）。1列ずつ作り終えたら、次の列の模様に移動する。全て模様を作り終えたら、P.61の＜玉どめで終わる＞を参考に終わらせる。

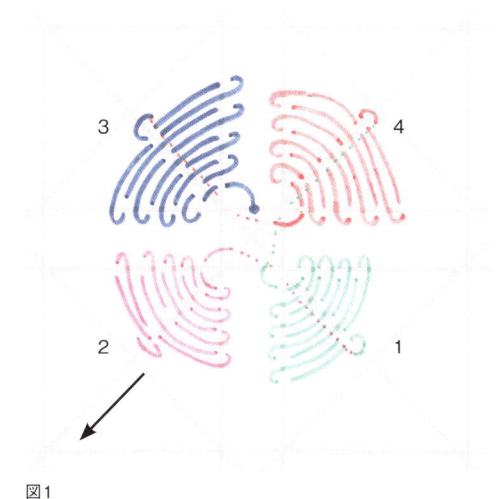

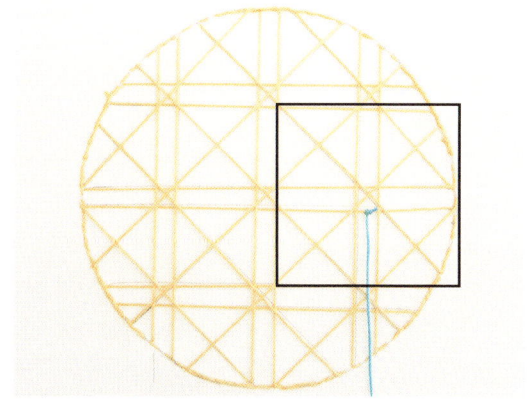

図1

01 1つめの模様の始点に＜玉どめつなぎ＞で糸をつなげる。

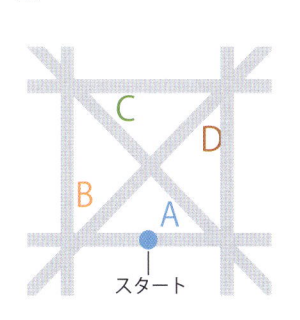

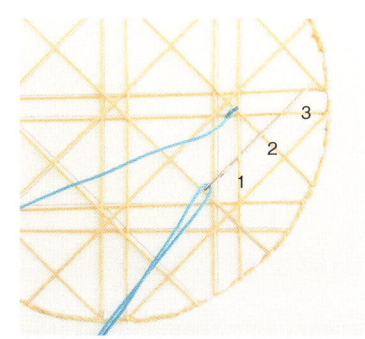

02 水色の花びらを織る。1、3の糸の下に針を通し、その後は図案の順に＜織りかがり＞する。

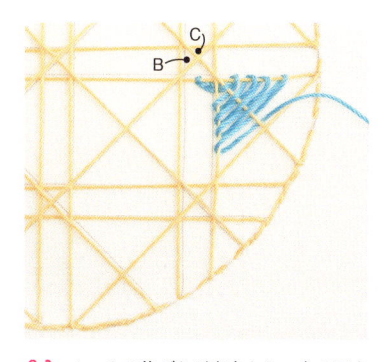

03 1つめの花びらが出来たら、糸の下をくぐり、Bに出る。2つめの花びらも同様に織る。

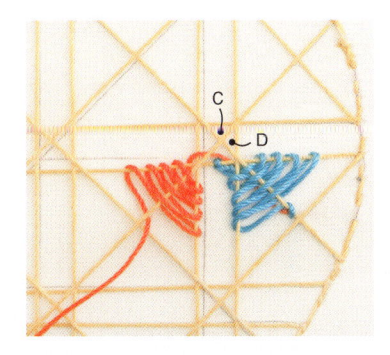

04 2つめの花びらが出来たら、糸の下をくぐり、Cに出る。

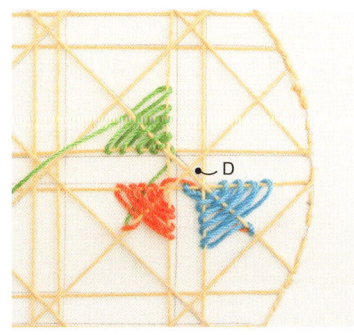

05 3つめの花びらが出来たら、糸の下をくぐり、Dに出て、4つめの花びらを作る。

06 1模様が完成したら、左下へ進み、同様に花模様を作っていく。

アラサベ

3. 円の模様を作る

1つの模様が出来たら、右上の矢印の方向へ進む（図2）。1列を作り終えたら、円の輪郭線の並縫いに糸を絡ませて、次の列に移動する。全て模様を作り終えたら、P.61の＜玉どめで終わる＞を参考に終わらせる。

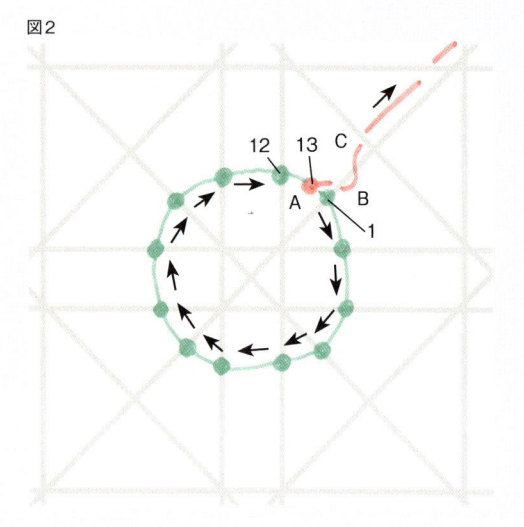

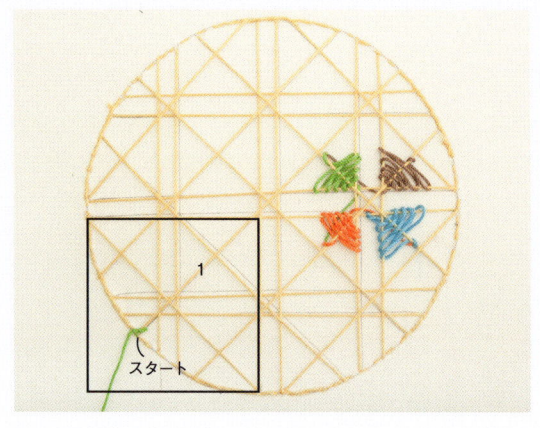

図2

01 円の輪郭線を始点に、＜玉どめつなぎ＞で糸をつなぐ。

02 始点から糸の下を通り、1から順に＜結びかがり＞を12回繰り返す。

03 13コめは、1つ目の＜結びかがり＞の左側にする。内側から外側へ針を出し、写真のように針先に糸をかけて、針を抜く。

04 円の模様ができたら、AからBへ針を出す。図2を参照。

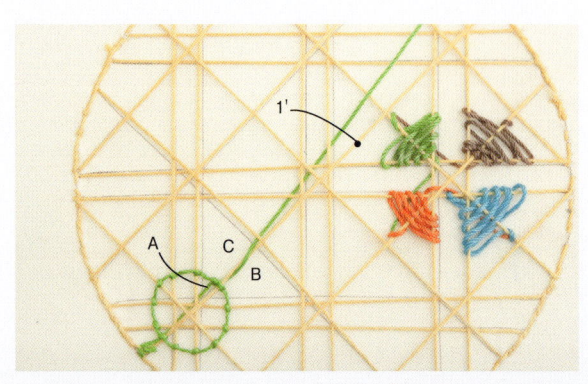

05 Cから、針を入れてから、すべての糸の下を通って、次の模様の始めのところに針を出し、同様に円の模様を作る。

06 次の模様へ進む時は、必ず右上の矢印の方向へ進む。

アラサペ、フィリグラナの作り方

アラサペの模様を作る順番

● 花の模様の場合

一つの模様が完成したら、左下に進む。一列が完成したら図のように次の列の1つめの模様に移動して、また同様に進む。移動する時に、円の輪郭線には行かずに、花から花の模様へ移動する。

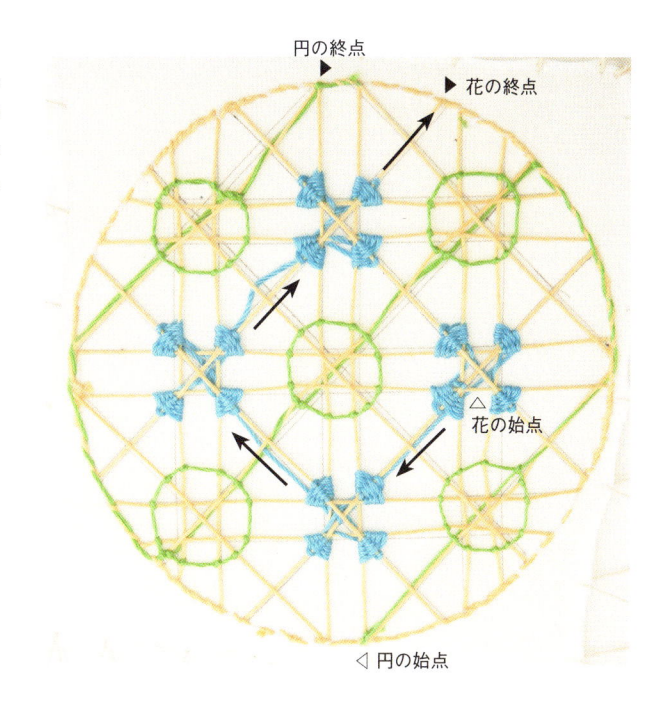

▶ 円の終点
▶ 花の終点
△ 花の始点
◁ 円の始点

● 円の模様の場合

一つの模様が完成したら、右上に進む。一列が完成したら図のように、輪郭線まで糸をのばし、輪郭線の縫い目に糸を絡めながら、次の列の始点まで移動する。

＊輪郭線の近くでスペースが狭いところでは、花も円も、模様の半分だけ作る。

花の模様を作る順路
A、Bのどちらからスタートしても OK。

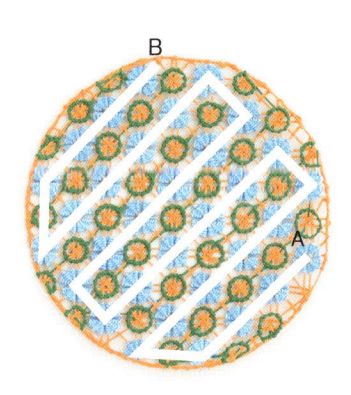

円の模様を作る順路
C、Dのどちらからスタートしても OK。

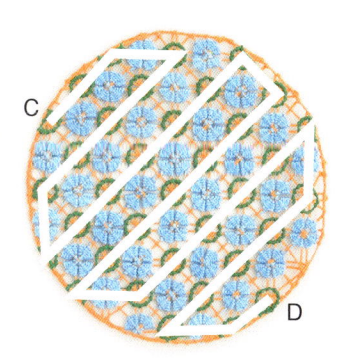

93

フィリグラナ *説明のためにP.88の作品よりも本数を少なくしています。

1. 土台の糸を張る

下書きをした土台の線に糸をはる。アラサペと同様に、線の始点と終点で、円周の角では、布を縫うようにする。1～3までは、土台色の糸をはり、4の始点で模様の糸に変える。

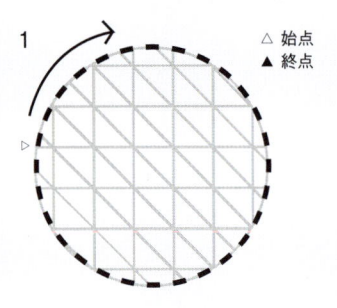

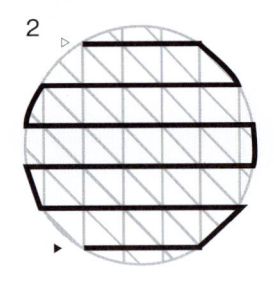

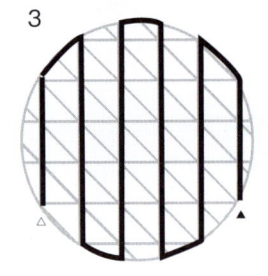

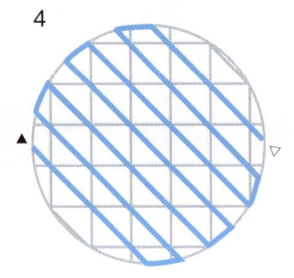

△ 始点
▲ 終点

2. 模様を作る *説明のために、01の斜線の糸は土台の糸と同じ色にしているが、実際には模様の糸と同じ色になります。

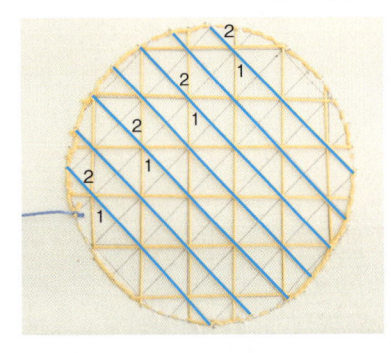

01 円の輪郭線から＜玉どめつなぎ＞でスタートし、右上へ糸を進める。

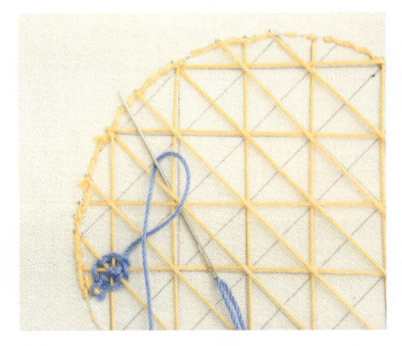

02 1から2に針を入れて、3本の糸の交差点で＜結びかがり＞をする。

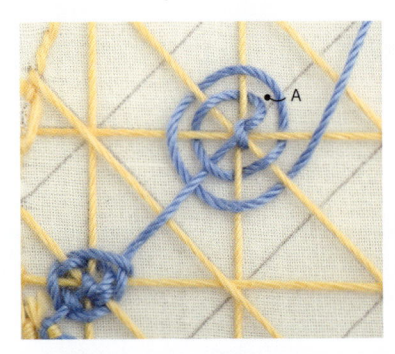

03 図のように2周＜織りかがり＞をしたら、Aへ針を通して、右上へ進む。

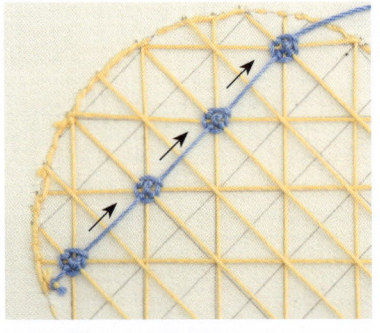

04 模様が1つ出来たら、右上へ進み、同様に繰り返す。模様の最後は、＜玉どめで終わる＞で始末する。

\idea/
ウェボのドイリーの作り方を参考に、模様と模様をつないで、つけえりを作るアイディア。襟ぐりの帯状の「2重の鎖」の模様とウェボの模様をつなぎます。

作品アイディア4
ウェボ模様のつけえり

仕上がりサイズ　28cm×28cm
8番刺繍糸（土台437、模様3865）

作品制作　中山友里子

\point/
- 40cmの四角い枠を使用する。
- 図1のaの線だけ模様同士をつながず、その他の模様と模様が接するところは、縫い目がつながるように作る。
- まず帯状の模様を完成させてから、ウェボの模様を1つずつ増やしていく。

01 枠に張った布に、図案（図1）を書き写す。
（P.43〜P.45を参照）

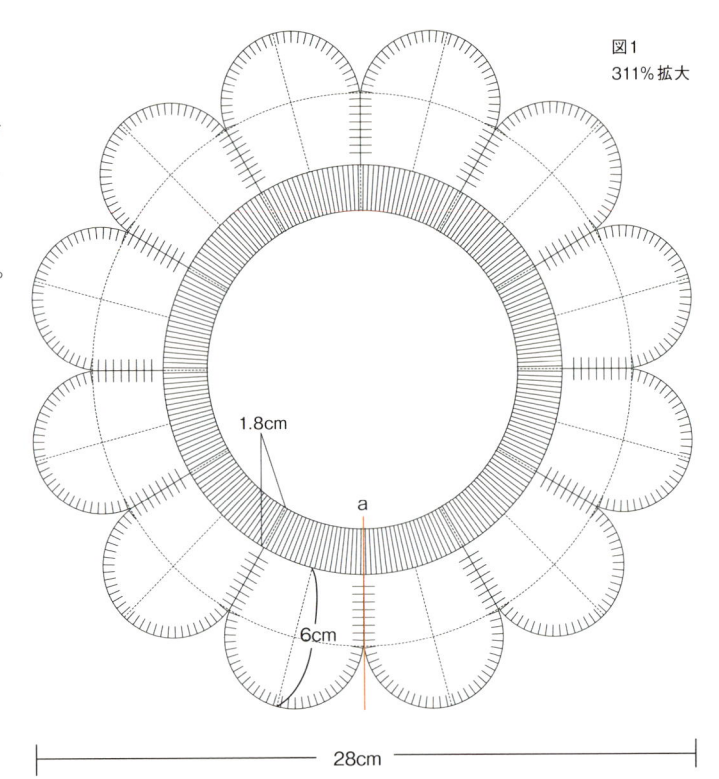

図1
311%拡大

1.8cm

a

6cm

28cm

02 襟ぐりの帯部分の土台の糸を張る。

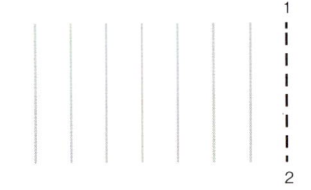

02-1 糸端に玉結びを作ってから1を始点にして、2に向かって並縫いする。2で玉どめを作る。

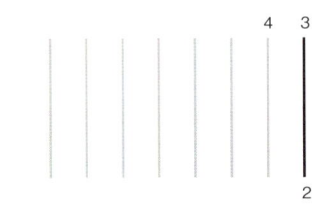

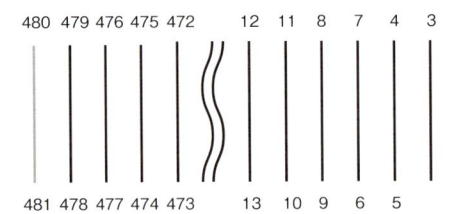

02-2 始点と同じ3に針を入れて4に針を出す。

02-3 5に針を入れて6に針を出す。1本ずつが平行に並ぶように、これを繰り返す。全部で240本の土台の糸を張る。

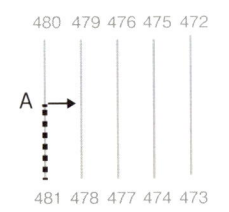

02-4 最後は、479に針を入れて、480に針を出す。次に、481に針を入れて、Aまで並縫いする。ここで、P.49の方法で模様の糸に替える。

03　2で張った帯部分の土台の糸に模様を作っていく。模様は、P.29の「2重の鎖」と同じ。

03-1　模様の中央に、5本まとめて結びかがりをし、これを端まで繰り返す。

図2-1

03-2　中央の結びかがりを全て終えたら、図2-1、図2-2の通りに、模様を順番に作っていく。

03-3　模様の最後は、P.61の玉どめで終わるの方法で、模様の糸を始末する。

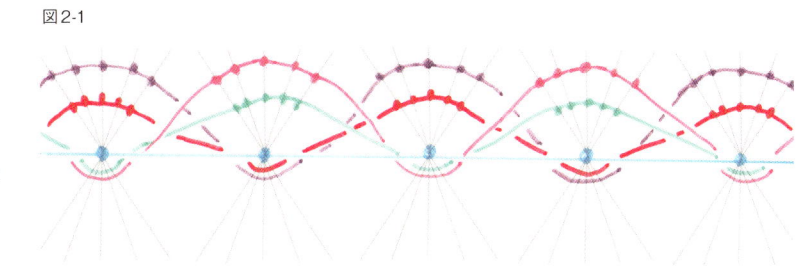

図2-2

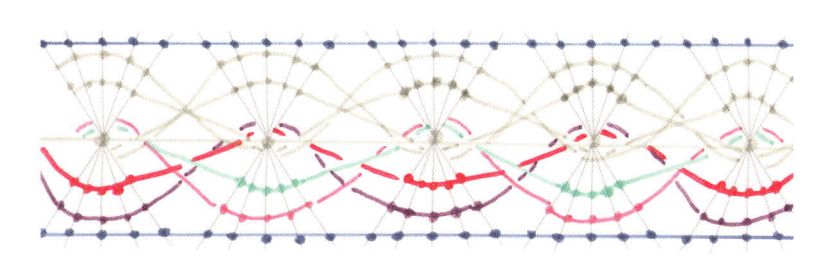

04　P.84の方法で、一番端のウェボの土台の糸を張る。ここでは、ウェボの1模様の真下にある帯部分の土台の糸のうち、左から10番目にある糸を支点にする。(図3)

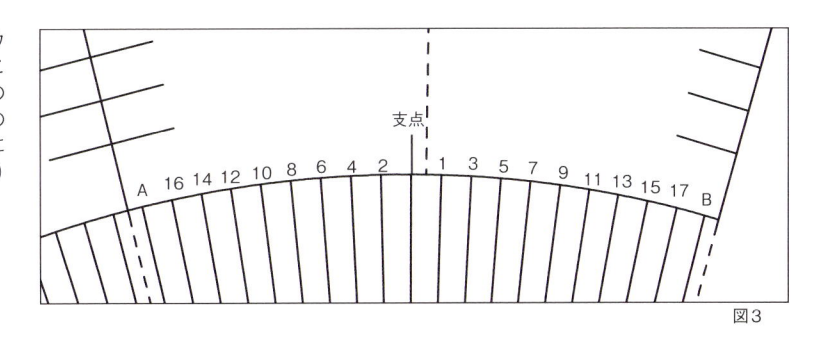

支点
A　16 14 12 10 8 6 4 2　1 3 5 7 9 11 13 15 17　B

図3

05　P.85を参考に、同様の方法でウェボの模様を作る。(1段織ったら、真下の土台の糸に通し、次の段を織ることを繰り返す。図3の数字の順に織り進む。17段まで真下の糸に通す。18、19段は、真下の糸に通さないで織り進む。20段めから、ウェボの土台の糸の本数を1本ずつ減らしながら織る。半円を織り終えたら、右下に降りAに通してから、縁に結びかがりで模様を入れる。)

06　1つの模様が完成したら、隣にウェボをつなぎ、同様にウェボの模様を完成させていく。ウェボの端と端が接するところは、P.86〜P.87のように糸が噛み合うように土台の糸を張る。

07　P.62と同様の方法で、糊づけし、布から全体を切り取る。通常よりも、糊は薄く作る。

08　細いリボンを織り目に通したり、ボタンループをかぎ針編みで編みつけ、ボタンを縫いつけるなど、端と端を閉じられるようにする。

97

作品アイディア5
ジャスミン模様の つけえり

仕上がりサイズ　28cm×28cm
8番刺繍糸（土台437、模様3865）

\point/
● 全体の順番は、ウェボのつけえりと同じ。3つの模様で構成されていて、襟ぐりの帯状の模様、円形のジャスミンの模様、三角形の模様の3つの順に作り上げる。
● 40cmの四角い枠を使用する。
● 図1のaの線だけ模様同士をつながず、その他の模様と模様が接するところは、縫い目がつながるように作る。

図1
374%拡大

1.8cm

a

6cm

28cm

01 枠に張った布に、図案（図1）を書き写す。

02 襟ぐりの帯部分の土台の糸を張り、「2重の鎖」の模様を作る。（P.97のウェボのつけえりと同じ。）

03 端からジャスミンのモチーフを作っていく。模様と模様が接するところは、土台の糸がかみ合うようにつなぐ。P.86〜87を参考にする。

04 円形と帯部分の間に出来た三角形の場所に、図2-1の土台の糸を張る。土台の糸が出来たら、図2-2の模様を作る。模様の織順は、図2-2またはP.65の三角モチーフと同じでもよい。

ジャスミン模様
20本の土台糸の花びらの1模様を4回繰り返してから、花びらと花びらの細長い模様も4回繰り返す

ジャスミンのモチーフ

ジャスミンのモチーフ

ジャスミンのモチーフ

ジャスミンのモチーフ

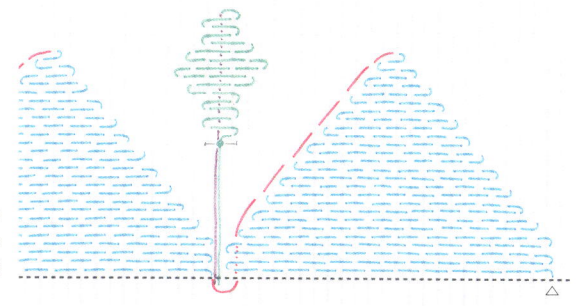

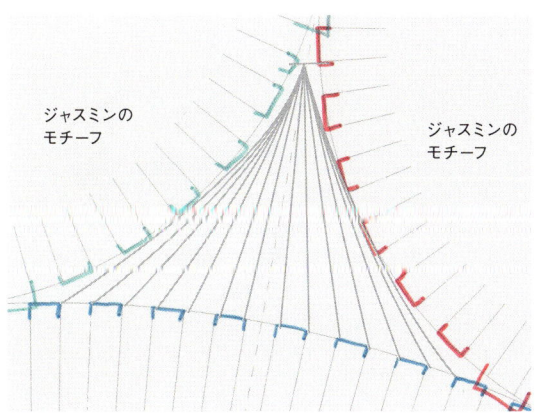

図2-1 三角形の土台の糸を張る

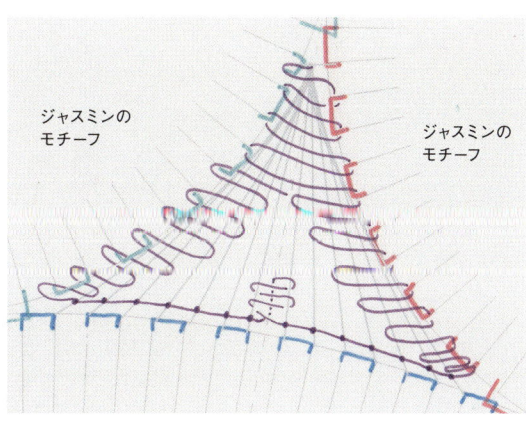

図2-2 土台の糸を張ったら、模様の糸を足してから、図のように模様を作る。

99

図案 / 伝統模様のモチーフ

▶ 図案の見方
P.22〜37までのモチーフの図案を掲載しています。
図案と一緒に作品写真で模様の形や数を確認しながら作って下さい。

例

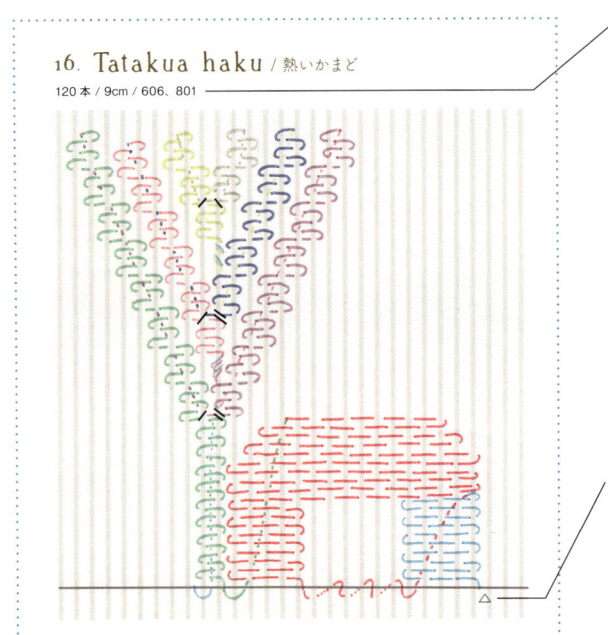

16. Tatakua haku / 熱いかまど
120本 / 9cm / 606、801

モチーフの名前の次に、以下の順番で必要事項を記載。糸はDMCの8番刺繍糸で、土台の糸、模様の糸の2種の色番号を記載しています。

土台の糸の本数 / モチーフの直径サイズ / 8番刺繍糸の色番号（土台の糸、模様の糸）

始点は△で記しています。
その後の順番は、以下の色の通りに進んで下さい。

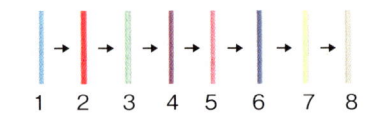

1 → 2 → 3 → 4 → 5 → 6 → 7 → 8

モチーフは、模様を放射状に何度か繰り返すことで完成しますが、図案では模様は一部しか描いていません。模様が1つしか描かれてない図案では、模様の端のすぐ隣の糸から次の模様を作ります。模様と模様の間がわかりにくいもののみ、2コ以上描いてあります。

蟻塚　100本 / 8cm

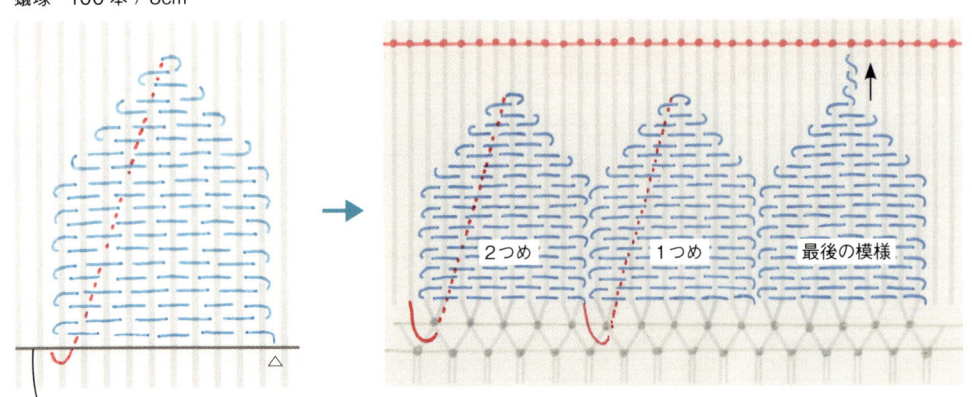

2つめ　1つめ　最後の模様

図案の下にある1本の黒い線は、p.58の中央の結びかがりを表しています。模様の下の線が点線のものは、p.51の「ジャスミンの花」や「にんじん」の模様のように中心から直接、模様を作ります。

模様を作り終えたら、円の縁に1本ずつ結びかがりをします。縁の模様は、図案では省略しています。最後の模様から縁へ行く際は、基本的には土台の糸に絡めながら上へ進むもの（例：蟻塚）と、そうすると形が崩れる時や糸が目立つ時には、一度近くの糸に巻きつけてから、縁へ上がるようにして下さい。

織りかがりの糸を通す時、1本めの土台の糸を上から通すか、下から通すかは、どちらからでも構いません。P.52～55の方法に則っていれば、図の順番ではなくても構いません。

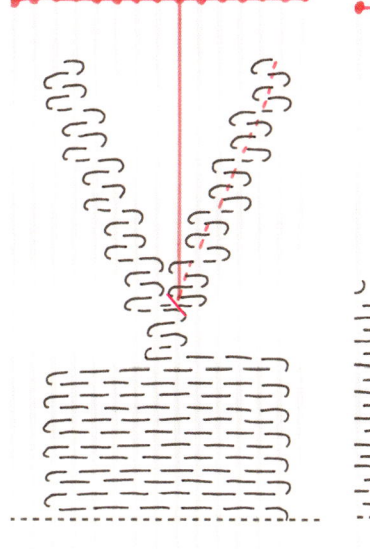

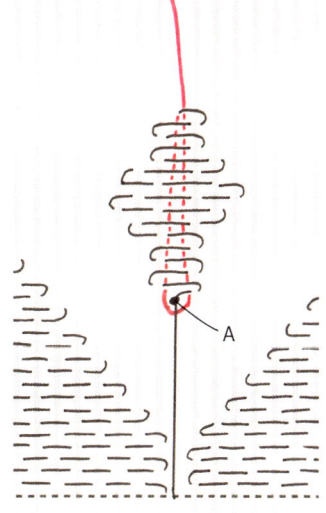

にんじん
右上まで織ったら、根元の糸に巻き付けてから真上へ上がる。

ジャスミンの花
Aの結びかがりにひっかけてから、真上へ上がる。

P.55で説明した糸を巻き付ける箇所では、斜線を記しています。上がる時と降りる時に、同じ場所で2回巻き付けている場所には、2本の斜線を記しています。その他、巻きつけ方がわかりにくい所には、糸を出し入れする順番も記しました。

実際の模様の完成形は、図案の形とは違っています。糸の引き加減によって形が変わるので、どれくらい糸を引っ張るかについては、掲載の完成作品の写真を確認しながら作って下さい。

模様から模様へ移動する時には、いくつかの方法があります。1つは、モチーフの後ろに糸を通して移動する方法。そのほか、後ろを通して糸を隠す場所がない場合には、次の始点まで作り終えた模様に糸を絡めながら移動して下さい。

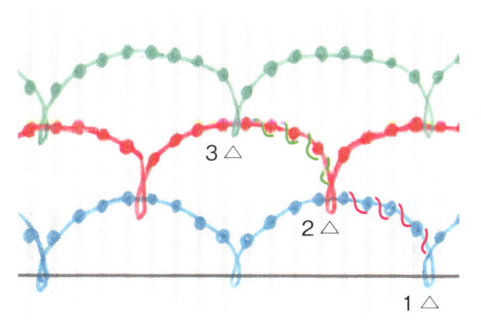

例：眉

1△　1段めの始点
2△　2段めの始点
3△　3段めの始点

101

1. Takuru / 蟻塚
100本 / 8cm / 742、996

2. Kurusu kora / 十字架が輪になっているところ
112本 / 8cm / 606、945

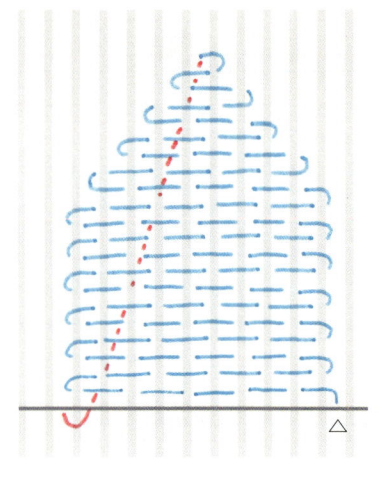

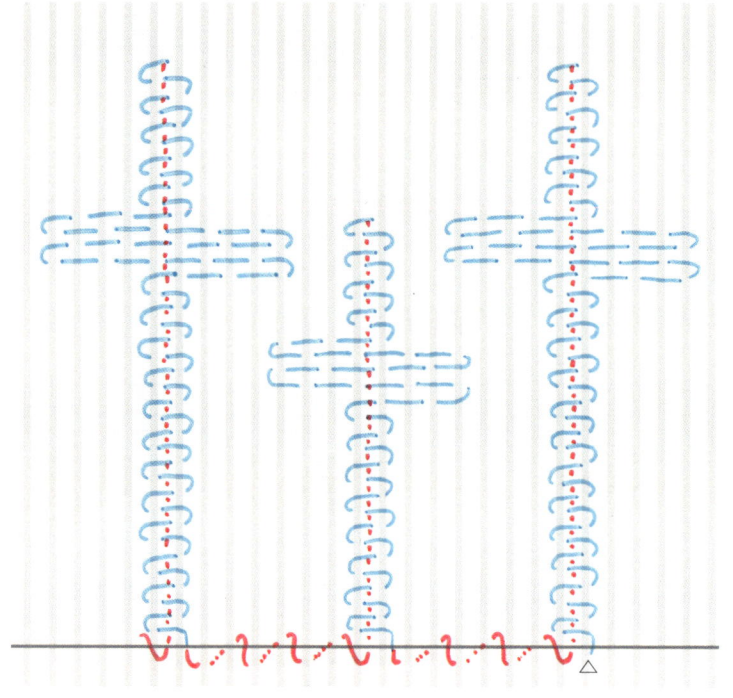

3. Arasa Poty / グァバの花
112本 / 8cm / 606、959

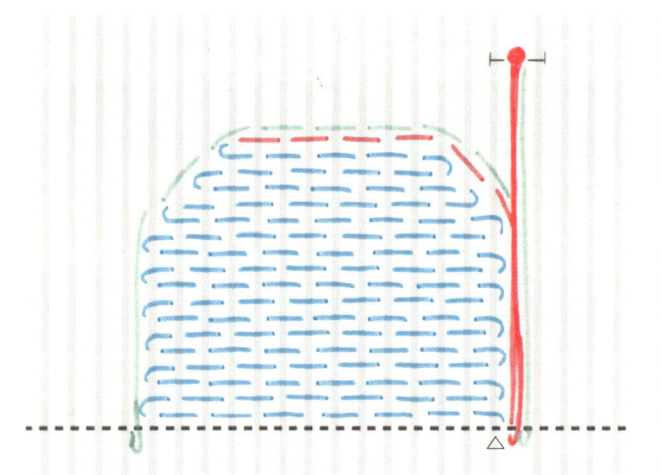

花びらを1枚作ったら（青）、右下に下り、真上の2本で結びかがりする（赤）。
それから、花びらの左下まで移動して、次の模様を始める（緑）。

／ 土台の糸に巻き付ける
→p.54

4. Zanahoria / にんじん
96本 / 8cm / 606、742

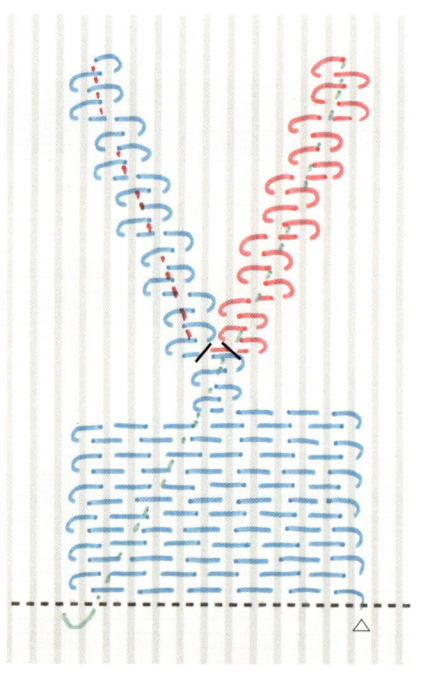

102

5. Tela de araña / クモの巣
120本 / 8cm / 606、996

6. Tatakua / かまど
96本 / 8cm / 742、801

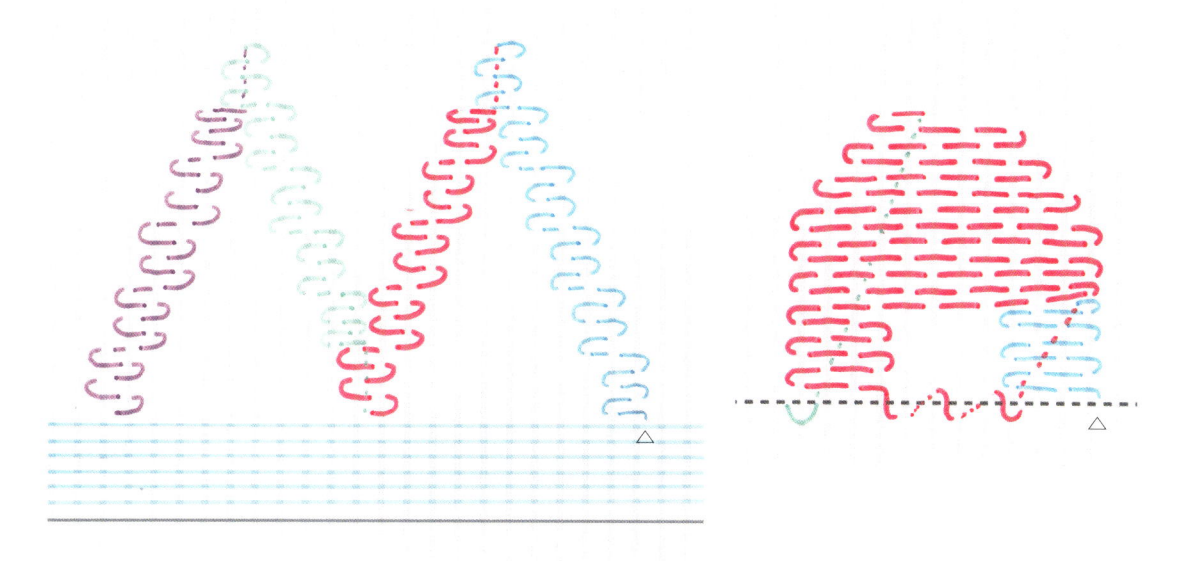

＜中央の結びかがり＞が終わったら、織りかがりで6周して、模様を織り始める。

7. Jazmín poty / Flor de jazmín / ジャスミンの花
96本 / 8cm / 742、996

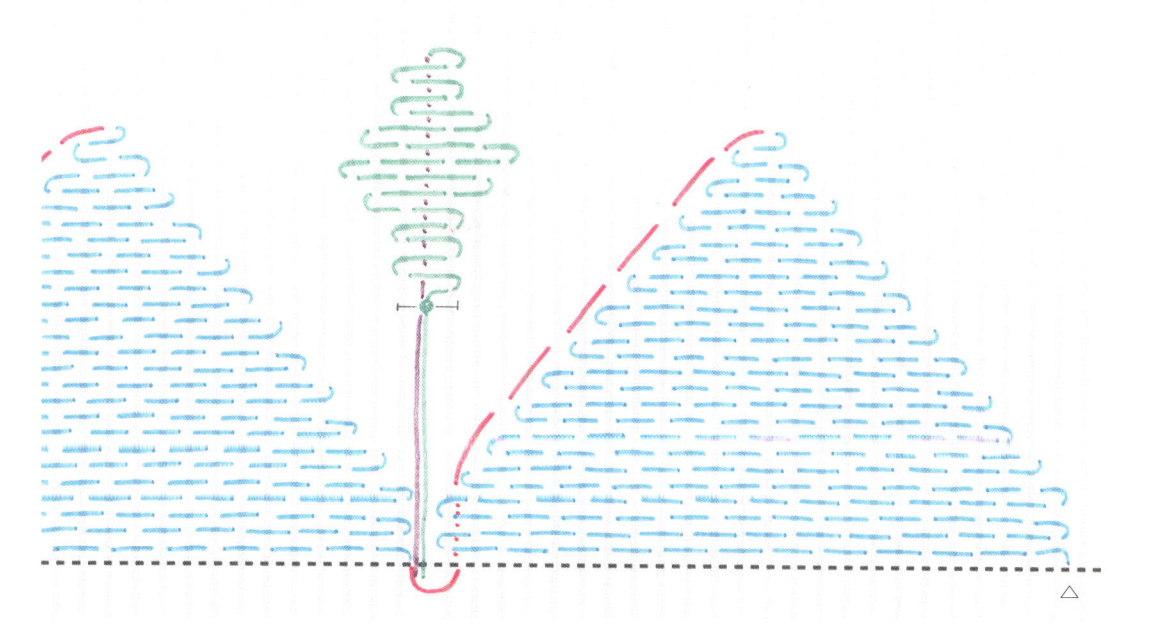

花びらの模様を続けて4枚作る（青）。その後に、花びらの間の模様を4回繰り返して作る（緑、紫）。

103

8. Campanilla / ハイビスカス、または鐘
100本 / 8cm / 606、959

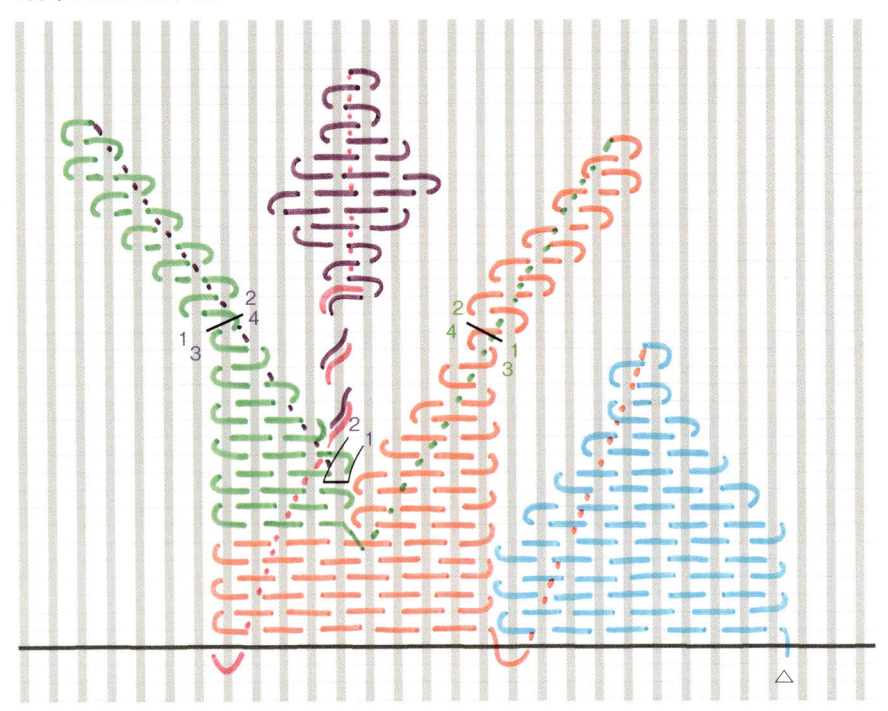

9. Buey pupore / 牛の足跡
112本 / 8cm / 606、820

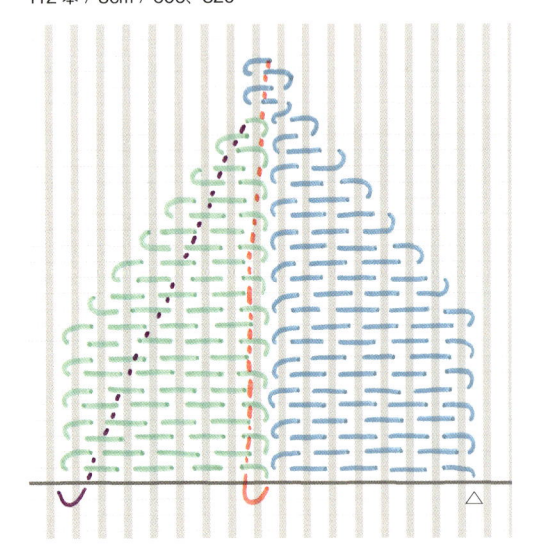

10. Karau / 河口にいる足の長いサギ
98本 / 9cm / 742、959

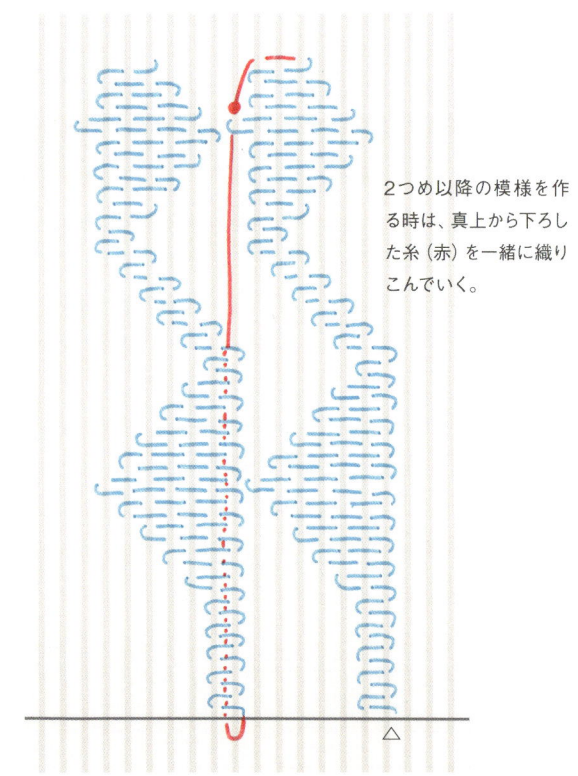

2つめ以降の模様を作る時は、真上から下ろした糸（赤）を一緒に織りこんでいく。

右半分の模様を上まで織ったら（青）、真下に糸（赤）を下ろして、左半分を織る時に、下ろした糸（赤）を一緒に織りこんでいく。

11. Caballito / 子馬
114本 / 9cm / 606、820

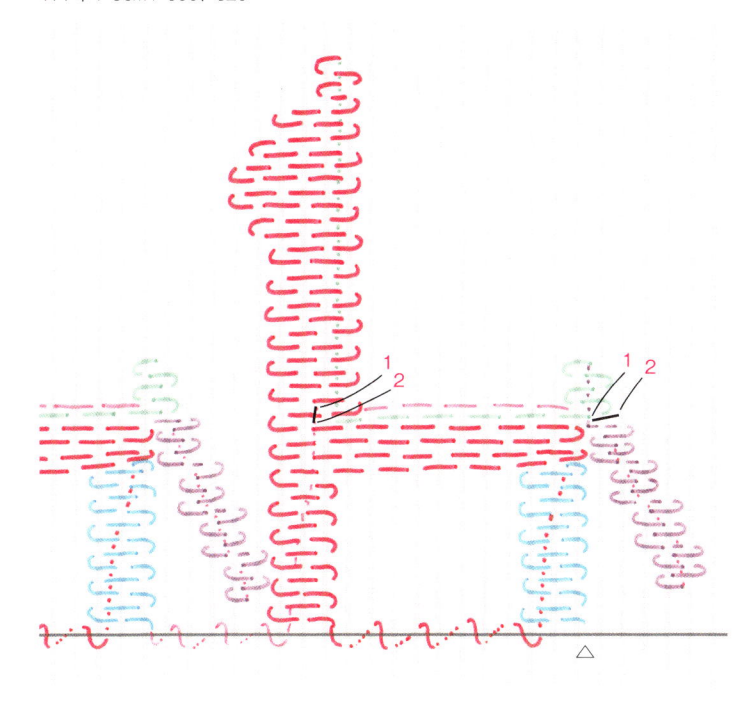

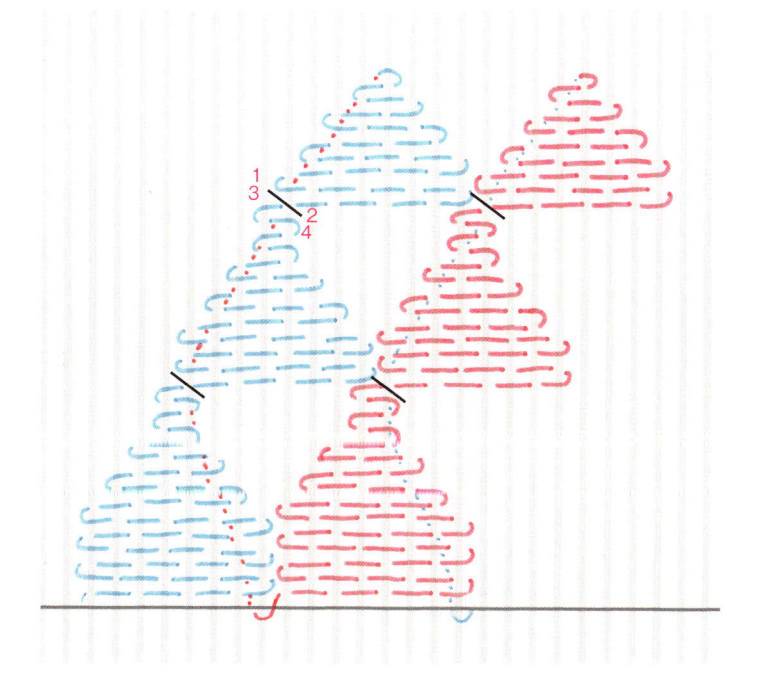

12. Arapaho jova'i
/ 向き合って並んだアルファフォレス
112本 / 9cm / 606、444

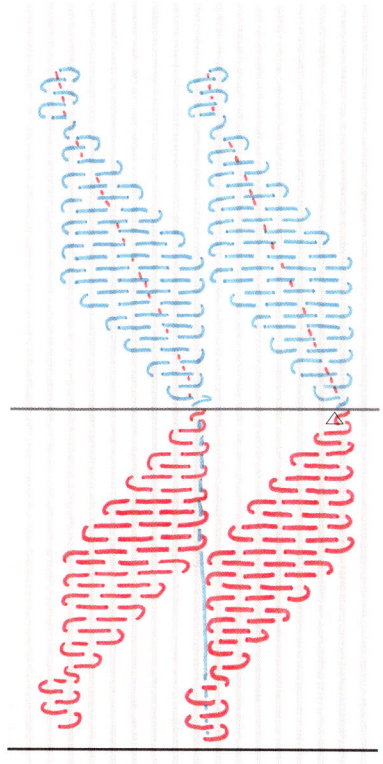

13. Arai / 雲
112本 / 9cm / 606、996

模様の中央で、1本に1コずつ結びかがりを1周してから、模様を織り始める。

14. Pakova rogue / バナナの葉
120本 / 9cm / 606、909

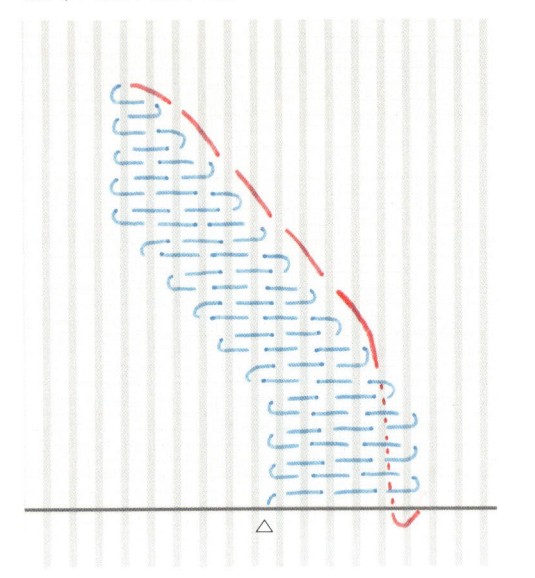

15. Tuna poty / サボテンの花
120本 / 9cm / 742、996

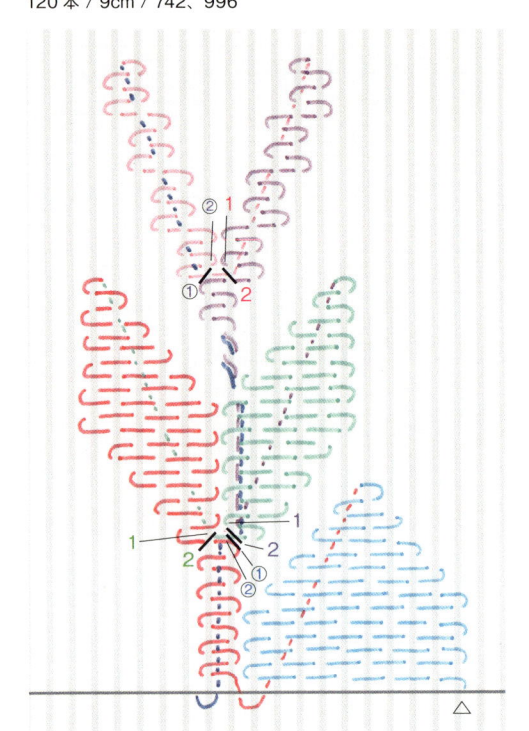

16. Tatakua haku / 熱いかまど
108本 / 9cm / 606、801

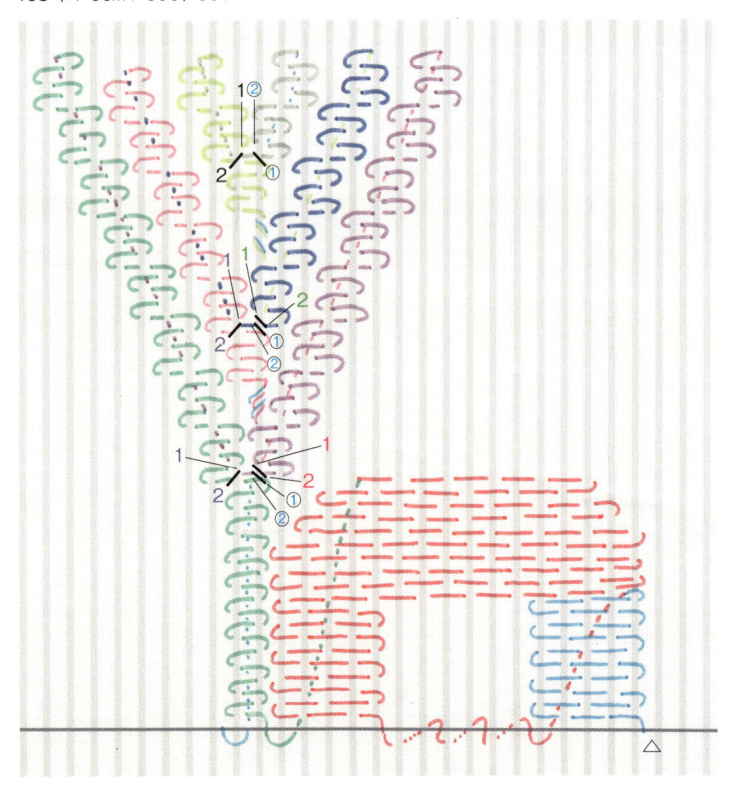

図案中の斜線の所で、土台の糸に模様の糸を巻き付けます。上方へ進める時は、斜線の上から下へ（1から2）、下方へ進む時には、斜線の下から上へ（①から②）、巻き付けてから次の模様へ進みます。

／ 土台の糸に巻き付ける
→p.54

17. Estrella / 星

100本 / 9cm / 742、210

2つの山（青、赤）を織り終えてから、中央の模様を織る。

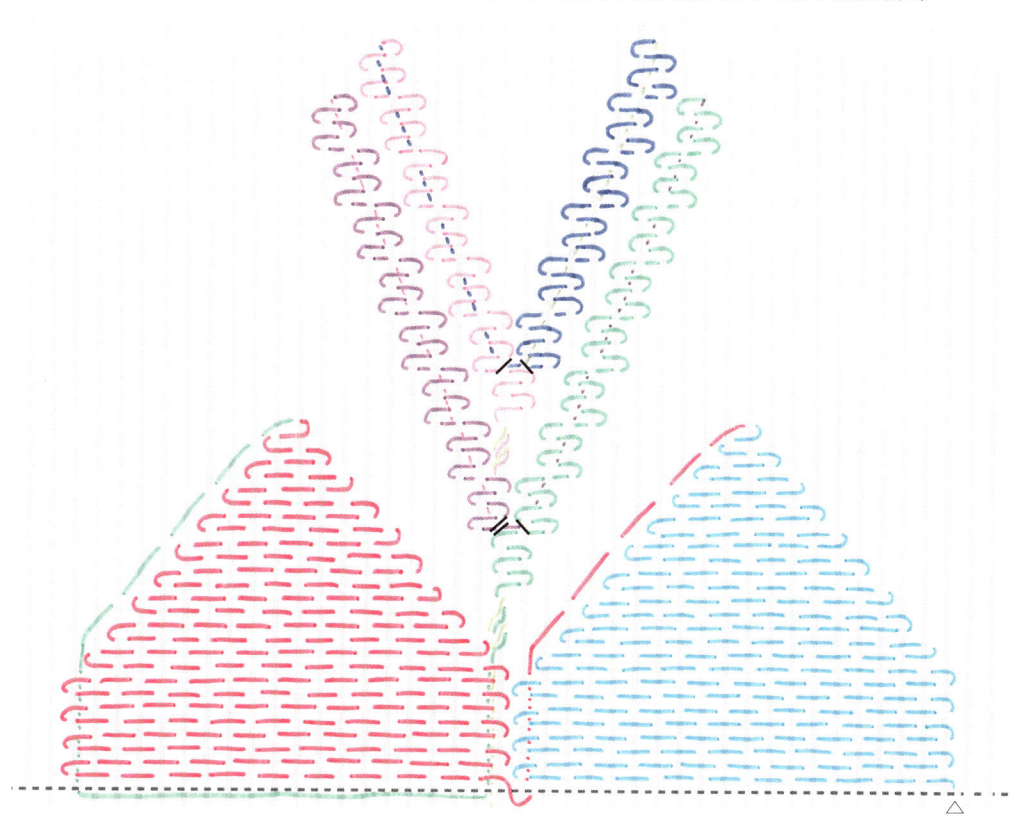

18. Typycha campaña
/ 田舎のほうき

112本 / 8cm / 959、742

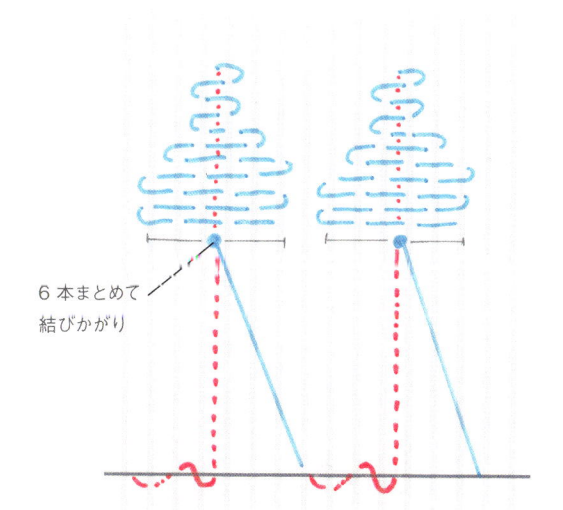

6本まとめて結びかがり

19. Cañoto
/ 椰子や竹を切ったもの

96本 / 8cm / 742、915

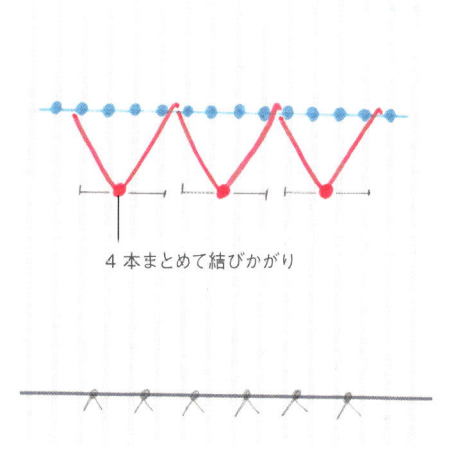

4本まとめて結びかがり

20. Cadenilla doble / 2重の鎖
100本 / 9cm / 959、742

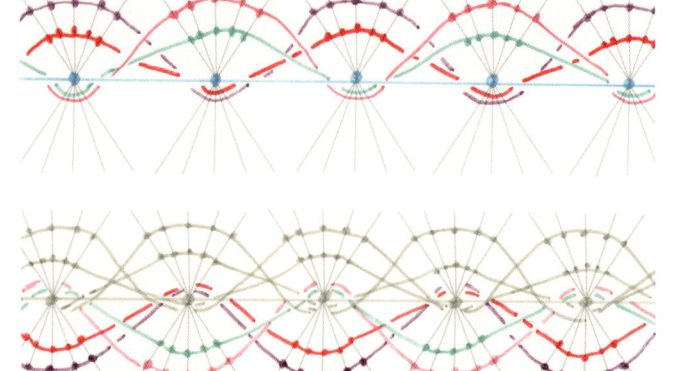

5本まとめて結びかがりをしてから、
模様の上半分を作り、
最後に模様の下半分を作る。

21. Mbo'y o collar / ヘビ、または貝のネックレス
96本 / 9cm / 996、355

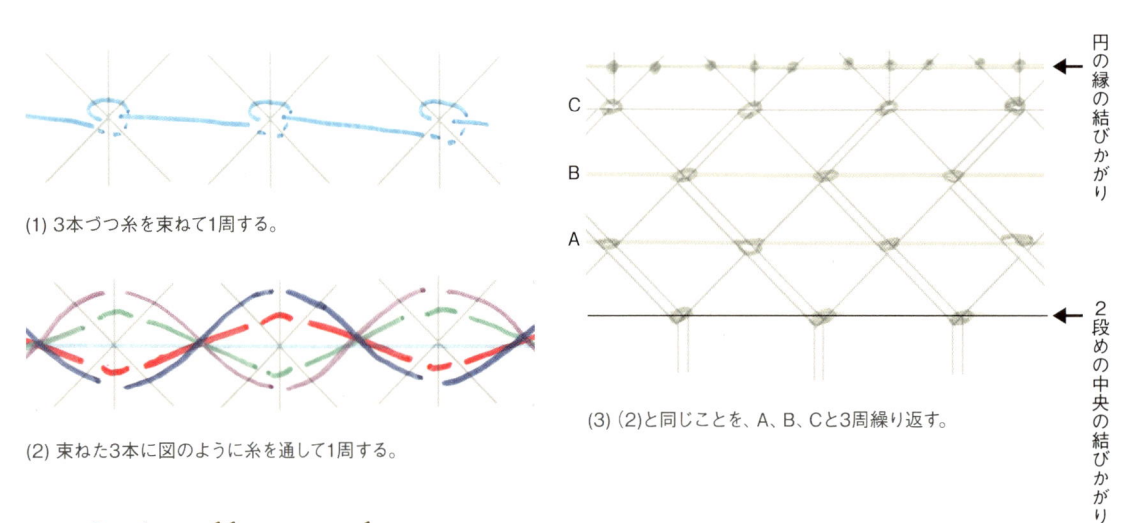

(1) 3本づつ糸を束ねて1周する。

(2) 束ねた3本に図のように糸を通して1周する。

← 円の縁の結びかがり

← 2段めの中央の結びかがり

(3) (2)と同じことを、A、B、Cと3周繰り返す。

22. Cadenilla simple / シンプルな鎖
96本 / 8cm / 959、820

円状に5本まとめて結びかがりをしてから、順番に曲線の模様を繰り返す。

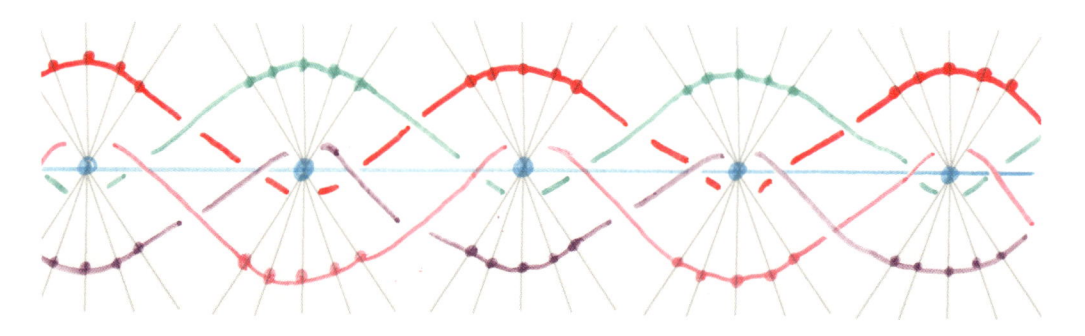

108

23. Tyvyta / 眉
96本 / 8cm / 959、742

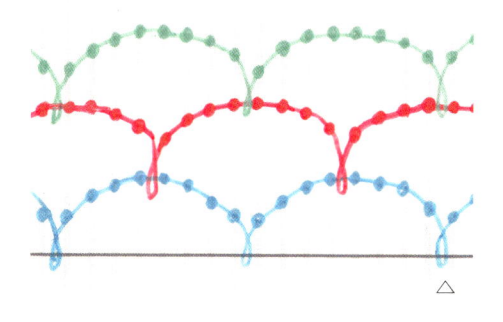

24. Mburukuja poty / 時計草の花
96本 / 8cm / 959、210

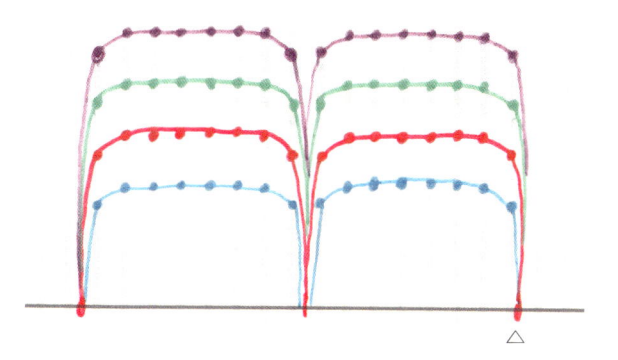

結びかがりを8コ作ったら、中央の円に糸を通してから、次の模様へ進む。

25. Media cadenilla doble / 半分の2重の鎖
100本 / 9cm / 959、742

円状に5本まとめて結びかがりをしてから、その上側に2重の曲線を作る。

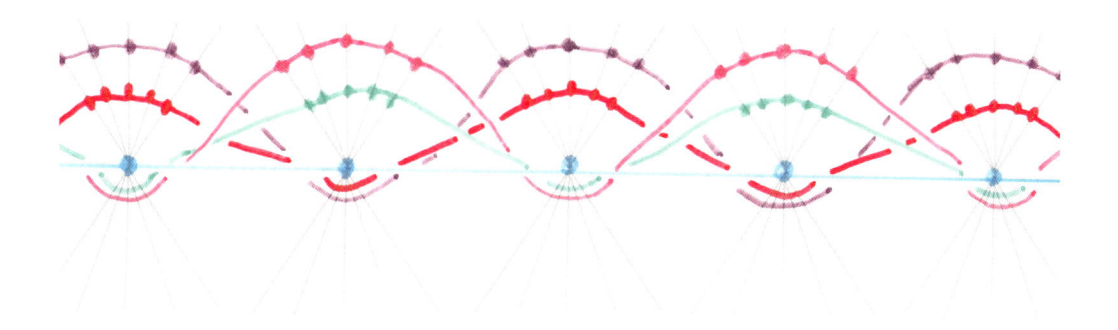

26. Zigzag / ジグザグ
108本 / 9cm / 959、820

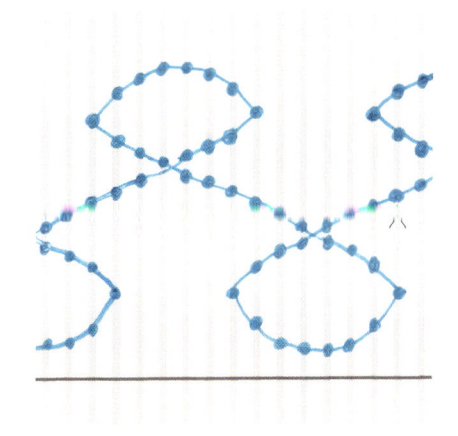

27. Yvyra'ity jovái (Karaguata)
/ カラグァタという名の丈夫な繊維がとれる植物
120本 / 9cm / 742、915

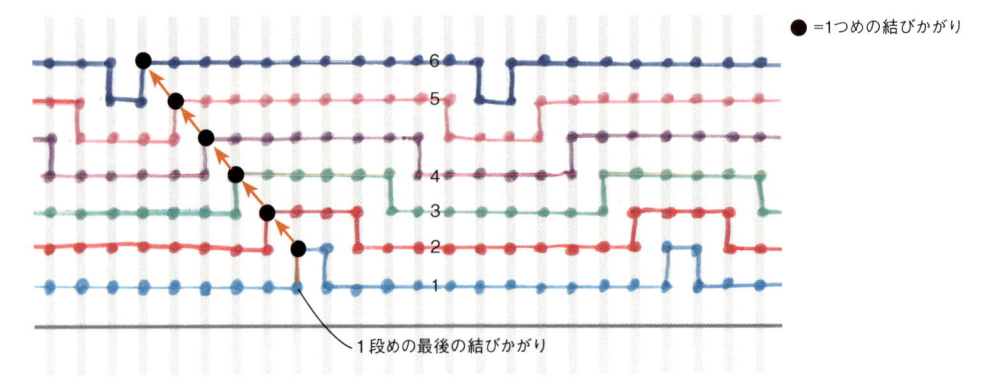

● =1つめの結びかがり

1段めの最後の結びかがり

1段め（青）の最後の結びかがりが終わったら、1つめの結びかがりに絡ませてから、
2段め（赤）の1つめの結びかがりをする。3段め以降も同様に移動する。

28. Purua kare / でべそ
114本 / 8cm / 996、740

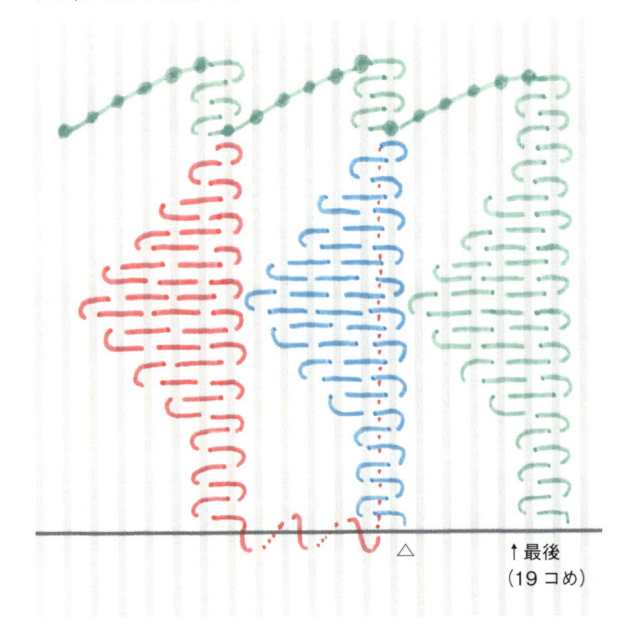

↑最後
(19 コめ)

先に模様の下半分を19回繰り返し作ってから、最後の模様では、そのまま上に進み、上半分の模様を作る。

29. Avati poty / トウモロコシの花
96本 / 8cm / 996、444

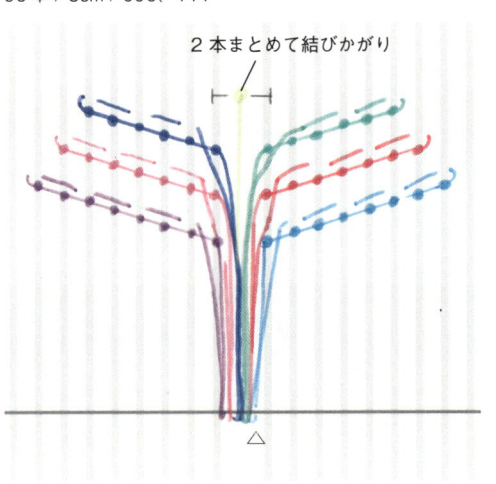

2本まとめて結びかがり

1本模様を作る毎に、中央の糸に糸を通す。合計6回繰り返し、最後に中央の2本をまとめて結びかがりする。

110

30. Cerro, Cerrito / 小山
112本 / 8cm / 996、602

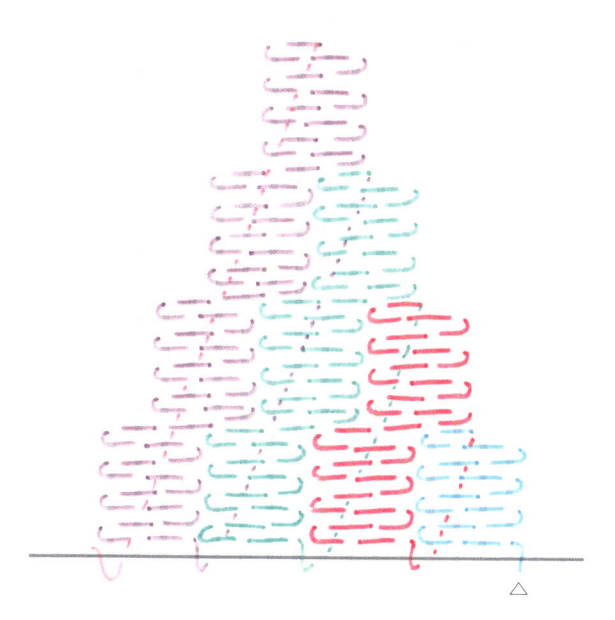

31. Cebada jova'i
/ 向かい合った大麦の粒
96本 / 9cm / 995、210

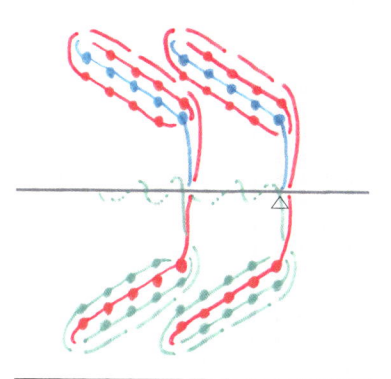

32. Romero raka
/ ローズマリーの枝
96本 / 9cm / 996、909

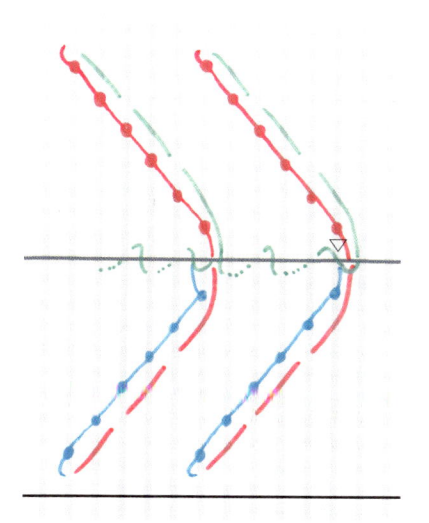

33. Jatevu / ダニ
100本 / 8cm / 996、922

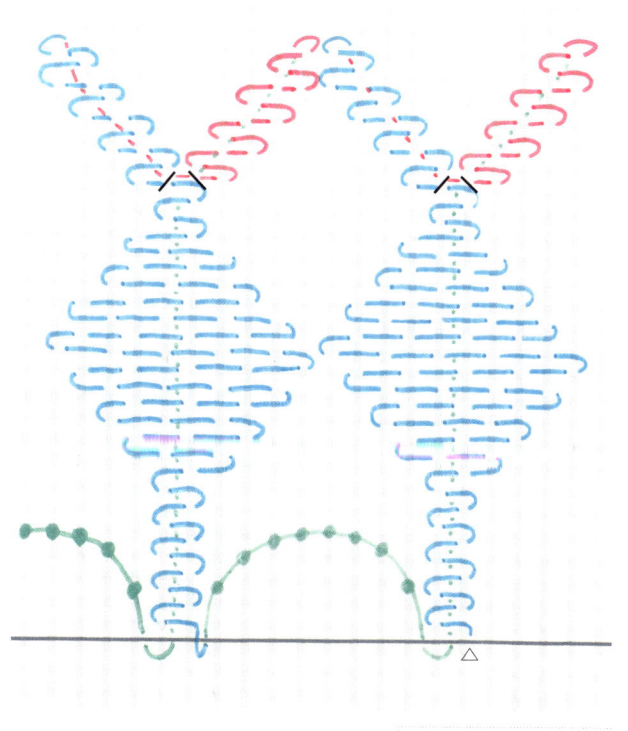

／土台の糸に巻き付ける
→p.54

34. Kurusu ao / 十字架とストール
100本 / 8cm / 995、444

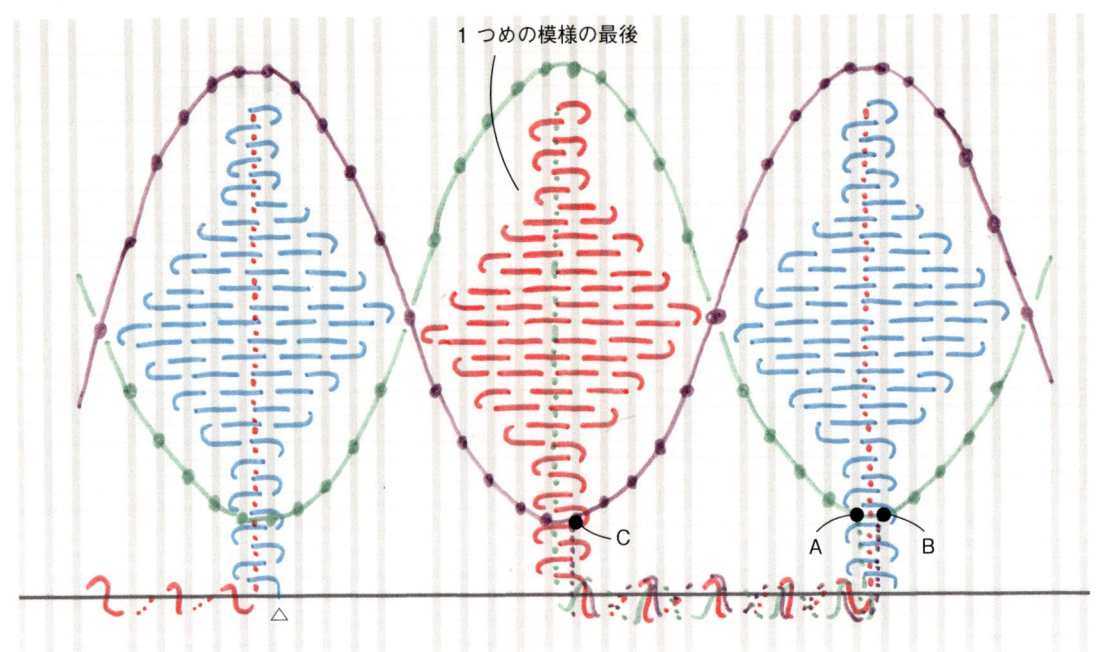

1つめの模様の最後

C　A　B

1つめの最後の模様が終わったら、1つ手前の模様まで戻り、Aから緑の結びかがりの模様を1周作る。
緑の最後の結びかがりがBで終わったら、模様の下を通って、Cから紫の結びかがりの模様を1周作る。

35. Barquito / ヨット
100本 / 8cm / 996、740

36. Moñito / リボン
100本 / 8cm / 996、602

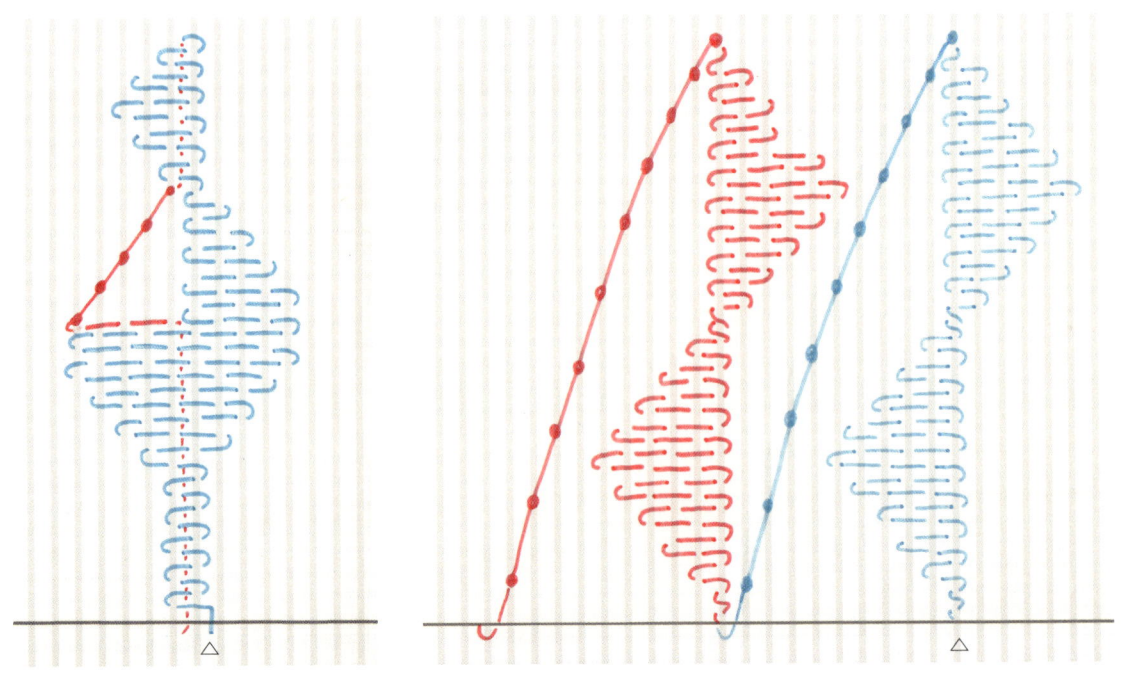

37. Kavara rugái / やぎのしっぽ
100本 / 9cm / 995、922

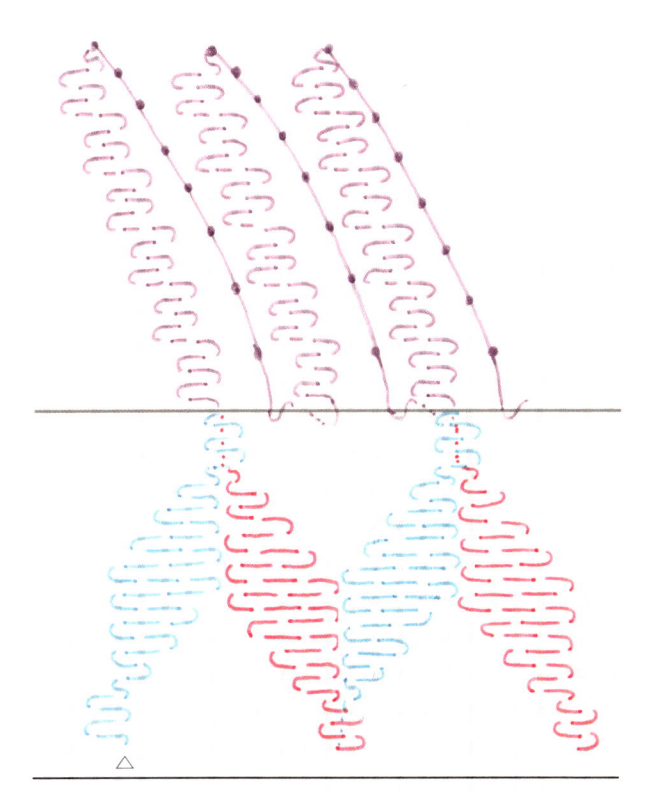

38. Canasto ramo / 果物籠
120本 / 8cm / 995、444

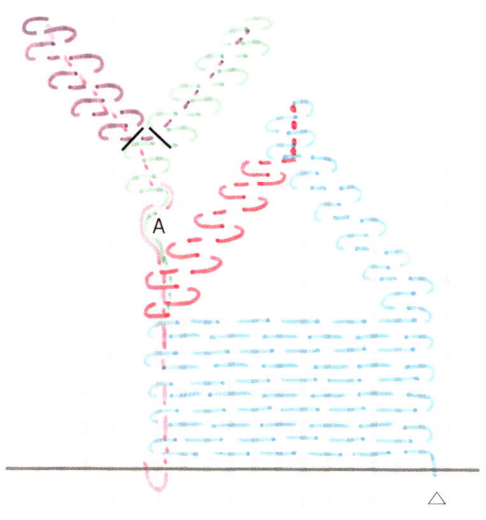

Aの糸を移動する時は、上へ上がる時も下がる時も、
土台の糸に1回絡める。

／ 土台の糸に巻き付ける
→p.54

最初に、下側の模様を全て仕上げてから、上側の模様を作る。

39. Frutilla / いちご
112本 / 8cm / 996、892

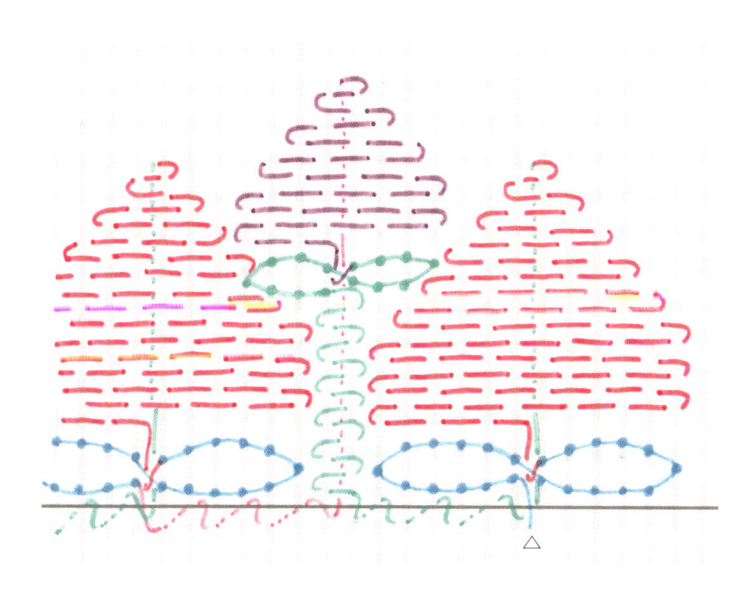

40. Cantarilla / 水差し
86本 / 8cm / 996、922

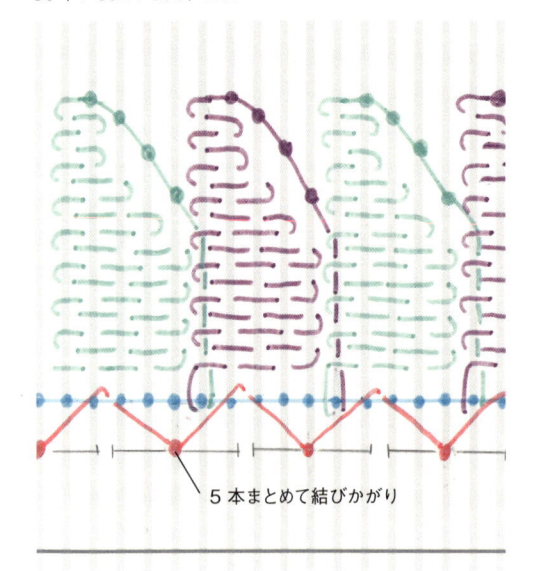

5本まとめて結びかがり

青、赤は、19の竹のモチーフで作り方は同じ。緑、紫の部分が水差しのモチーフ。

41. Pasacinta / 紐通し
96本 / 8cm / 996、892

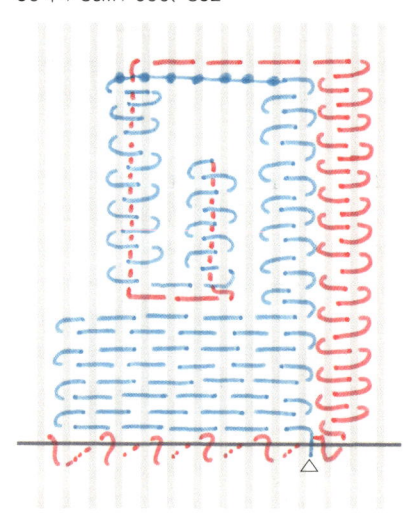

42. Guirai / 小鳥、すずめ
120本 / 9cm / 995、740

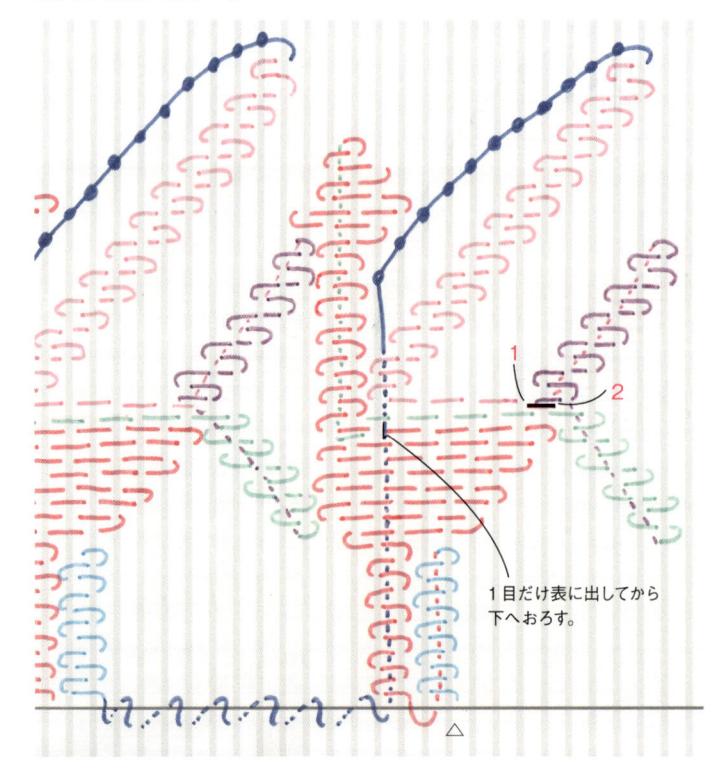

1目だけ表に出してから下へおろす。

43. Ñandu, Ñandu'í / クモ、小さいクモ
112本 / 9cm / 995、922

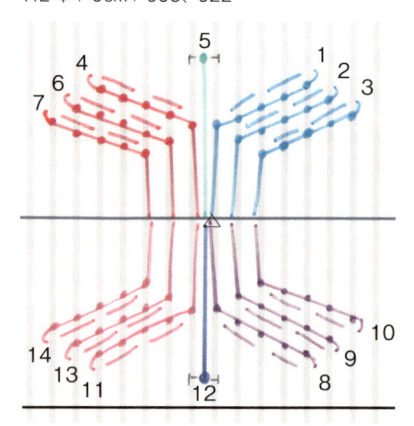

まずは、模様の中央を1周結びかがりしてから、模様を始める。1本模様を作る度に、中央に糸を通しながら進める。移動する時も中央の糸に絡めながら進める。

円形モチーフ
土台の糸の図案

※実寸サイズで掲載

86本 / 8cm

96本
8cm / 9cm

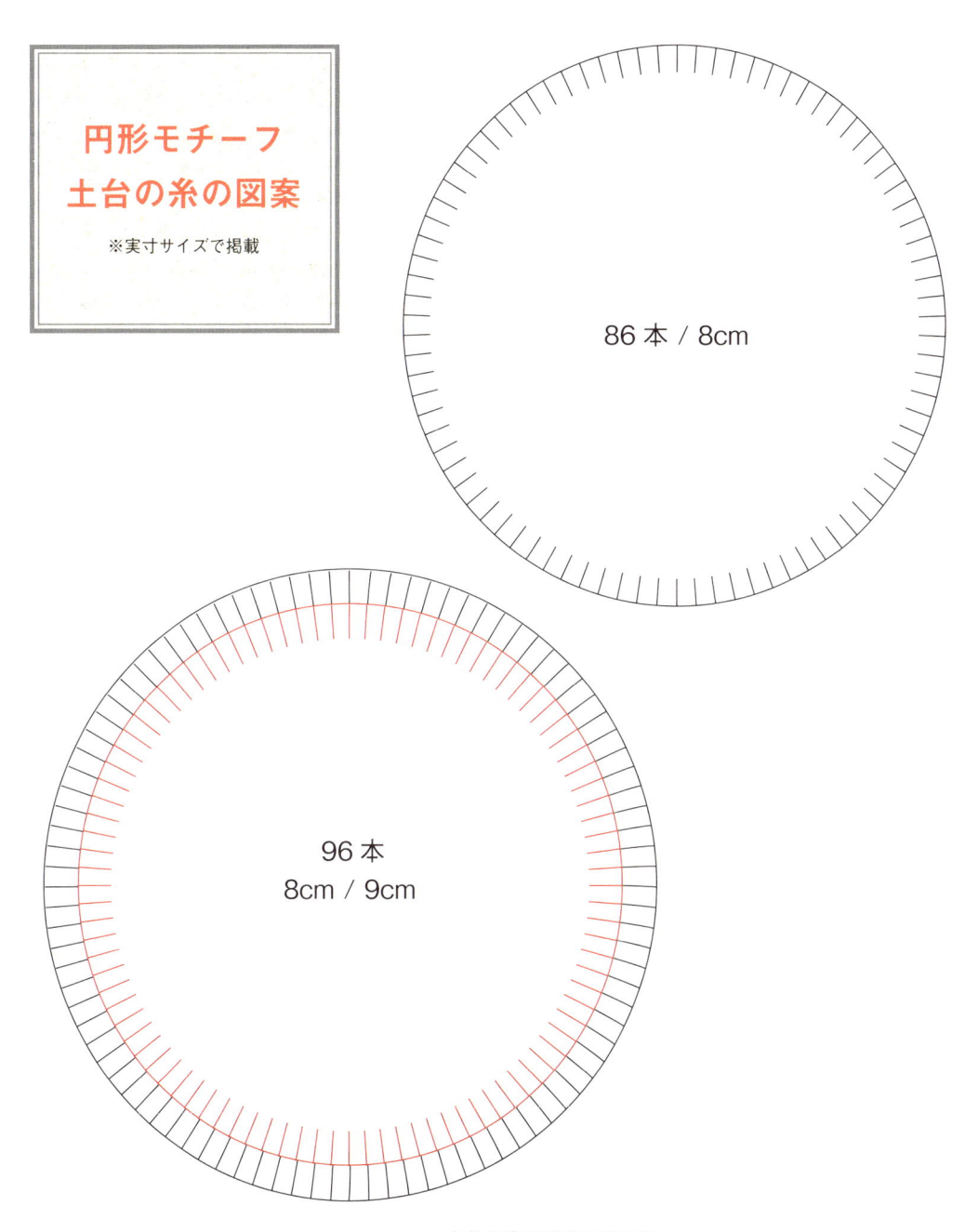

土台の糸の長さの出し方

土台の糸を張る時に必要な糸の長さの計算の仕方です。
糸を引く加減によっても変わるので、あくまでも目安として考えて下さい。

土台の糸の本数÷2×直径cm＋30cm＝土台の糸の長さ

例えば、土台の糸が96本で直径8cmのモチーフの土台の糸の長さは、下のように計算する。

96÷2×8＋30＝414cm

98本 / 9cm

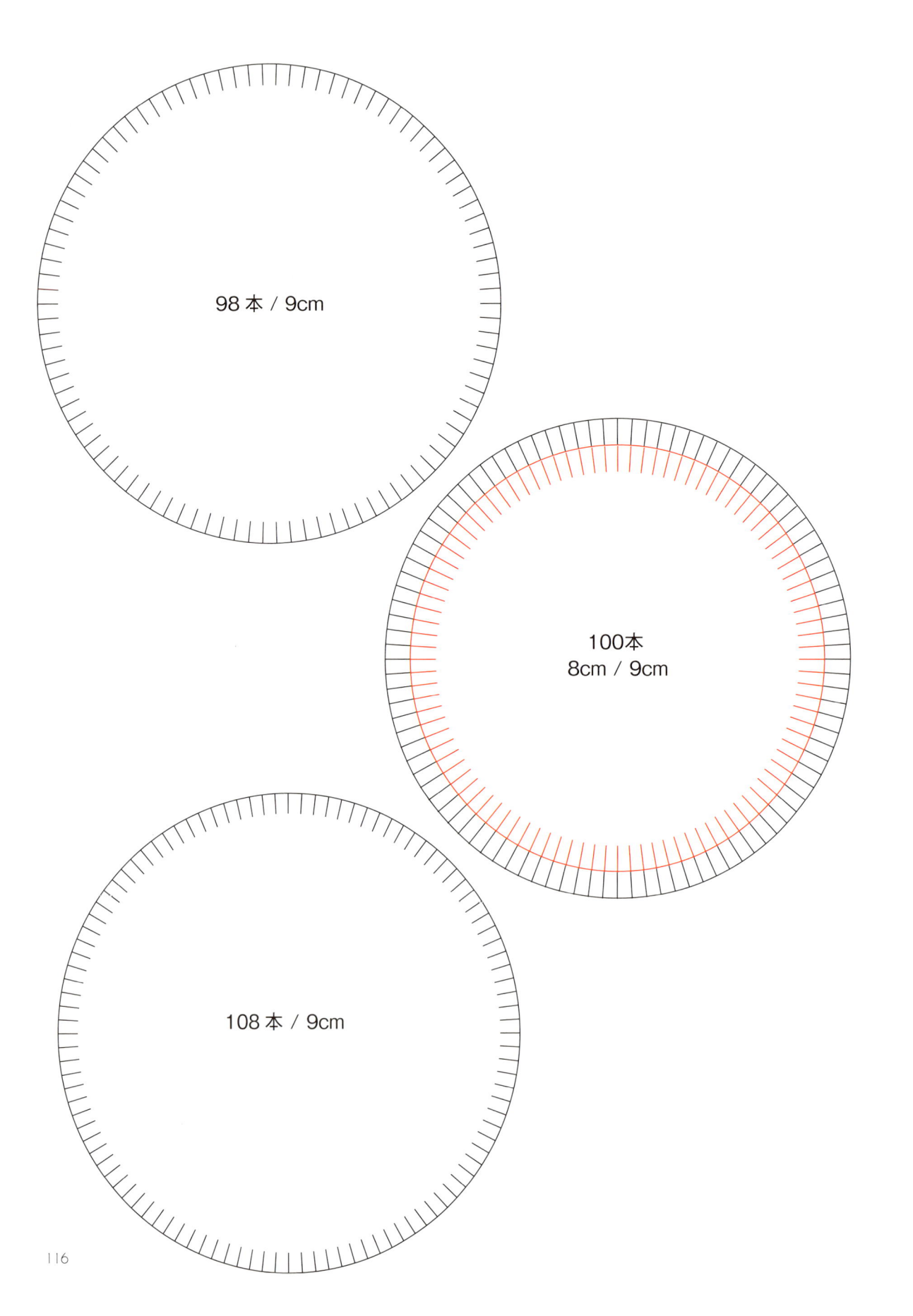

100本
8cm / 9cm

108本 / 9cm

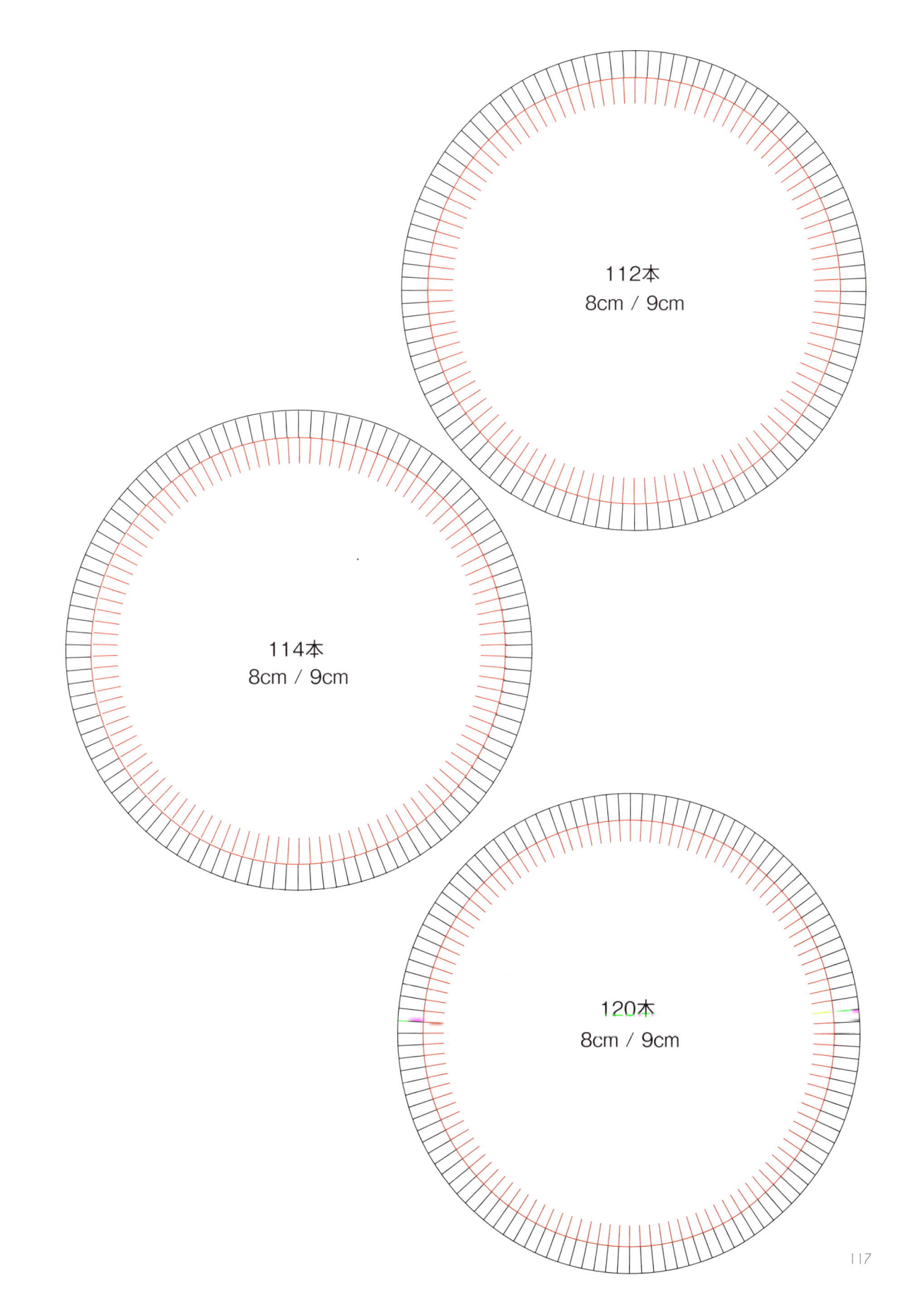

112本
8cm / 9cm

114本
8cm / 9cm

120本
8cm / 9cm

パラグアイってどんな国？

　パラグアイは南米大陸の内陸に位置する亜熱帯の国です。スペイン統治の時代を経て1811年にパラグアイ共和国として独立しました。植民地時代から先住民族との混血が進みパラグアイ人の90%以上は混血だと言われています。公用語はスペイン語と先住民族のグァラニ語の2言語で、国民の多くはバイリンガルです。

　19世紀半ば、パラグアイは南米大陸で初の鉄道を敷くなど独自の進歩的な産業政策を進めましたが、二度の大きな戦争（三国戦争、チャコ戦争）で国力が衰えた時期もありました。1990年代からは大豆、トウモロコシ、畜産などの農業生産が伸び、大豆は世界第4位の輸出量を誇っています。また、日本の食卓の白ゴマは約6割がパラグアイ産です。近年は海外からの投資も増える傾向にあり経済は上向きです。インフラの整備も進みつつあり都市部でのホテルやレストランも増えています。

　首都のアスンシオンの年平均気温は約23度ですが、内陸のため夏はかなり高温になり、冬はまれに零度近くに冷え込むこともあります。年間通して適度に雨が降り四季があります。人々が多く住む東部は緑に恵まれ、バナナ、パパイヤなど亜熱帯性の果物が庭に当り前に育つ自然豊かな景観です。牛を追う牧歌的な風景や木陰でのんびりマテ茶を楽しむ人たちの姿が見られるでしょう。

　パラグアイ川より西部のチャコ地方は雨量の少ない乾燥地帯です。開発と同時に原生林は少なくなりましたが、パラグアイ川の上流にはブラジルにまたがる世界最大級のパンタナル湿地があります。パラグアイには亜熱帯から熱帯にかけての豊かな自然が残されています。

写真提供：パラグアイ観光庁

南米最古の鉄道

アスンシオンとアレグア間の約40Kmを観光列車が運行されています。薪で走る蒸気機関車です。かつてはエンカルナシオン市までを10時間以上かかって走りました。1861年に敷かれた南米で最初の鉄道です。いかに当時のパラグアイが産業振興に全力を挙げていたかが分かります。車内での楽しいショーの演出や、駅舎では古い鉄道の機材や資料の見学などを楽しめます。スピードは自転車に負けるほどゆっくり、のんびりですが、街の人々と手を振ったり、車窓から自然を満喫するのは素晴らしい体験になるでしょう。

日系移住地

パラグアイへの日本人の移住は1936年に始まりました。戦後は移住が増え1962年に設置されたイグアス日系移住地は8万ヘクタールもあり、これは山手線の10倍もの広さです。現在は9つの日本人会が各地にあります。北海道、岩手、高知などの都道府県人会も活発です。原生林の開拓、天候不順など、大変な試練を乗り越えてきた日系の方々は、農業やその他産業でパラグアイに大きく貢献し、パラグアイ人からは敬愛される存在です。日本語教育、和太鼓や各種民芸など日本文化も息づいています。私のような日系人は、これからも一層、パラグアイ人との信頼関係を育ててパラグアイと日本のためになりたいと思っています。

私の故郷のラ・コルメナは一番古い日系移住地です。当初からパラグアイ人と融合して成長した町で、日系人はブドウやモモなどの果実、野菜などを生産しています。2006年の日本人移住70周年式典の時は秋篠宮様がご訪問くださいました。今の日本人が忘れがちな、自然と一体となった生活を味わえる移住地だと思います。

写真提供：パラグアイ観光庁

1　アスンシオン（首都）
2　ルケ（フィリグラナ）
3　アレグア（陶器）
4　イタグア（ニャンドゥティ）
5　ピラジュ（ニャンドゥティ）
6　カラペグア（ポンカヘジュ）
7　サン・ミゲル（羊毛・ハンモック）
8　ラ・コルメナ（日系移住地）
9　ジャタイトゥ（アオポイ）
10　ビジャリカ
11　イグアス（日系移住地）
12　トリニダ（イエズス会遺跡）
13　ヘスス（イエズス会遺跡）
14　エンカルナシオン（アルゼンチンとの国境の街）
15　シウダー・デル・エステ（ブラジルとの国境の街）

119

民芸品

アオポイ

　パラグアイを代表する綿織物で、多くのものに、幾何学模様の刺繍がカラフルな色合いで施されている。名前は、グァラニー語で布を意味するアオと、精細を意味するポイに由来しています。ジャタイトゥ市が名産地です。

上3点写真提供：パラグアイ観光庁

エンカヘジュ

　パラグアイでは様々な場所で作られるレースで、特にカラペグアという町が産地として知られています。エンカヘとはスペイン語でレース、ジュはグァラニー語で針の意味です。一本の棒と糸を通した針で、投網をつくるように土台をつくり、その上にニャンドゥティと同じ要領で様々な模様を編み込んでいきます。ショールやブラウス、テーブルクロスなどによく使われます。

ハンモックについて

　パラグアイのハンモックは羊毛で作られます。カラペグアや羊毛生産で有名なサン・ミゲルという町で多く作られています。この町の羊毛のポンチョ、衣類や絨毯なども有名です。パラグアイの田舎では庭先の木陰でハンモックで昼寝をする姿をよく見かけます。また赤ちゃんを寝かしつけるためにもよく使われます。

写真提供：パラグアイ観光庁

フィリグラナ

　銀を火であぶって曲げて、細い糸のような銀をいろいろな模様を作り出していく線条細工の技術を使った銀のアクセサリー。元は、ヨーロッパにあったものが、パラグアイに伝わり、独自の工芸品として発展していったものです。ルケが産地として有名です。

世界遺産
トリニダーと
ヘススの集落村跡

　17世紀初頭から、カトリック教会のイエズス会は、パラグアイの先住民たちに宣教するための宣教村を建設しました。イエズス会は、宗教だけではなく、政治、文化、教育などにも大きな影響を与えました。パラナ川の流域を中心に建てられた30の村の中でも、トリニダーとヘススにある遺跡が1993年にユネスコ世界遺産として登録されました。

写真提供：パラグアイ観光庁

写真提供：パラグアイ観光庁

パラグアイ料理

　パラグアイ料理の材料に欠かせないのがキャッサバ、トウモロコシと肉です。肉料理はアサードという豪快な炭火焼きが有名ですが、手軽な料理も沢山あります。キャッサバを使ったチパというチーズパンや、挽肉と玉ねぎと卵などを生地で包んで焼き上げたエンパナーダは路上でも売られています。ソパ・パラグアジャ（直訳はパラグアイスープ）というトウモロコシのキッシュは、パーティーでは必ずふるまわれます。スープと言うのに固形なのが面白いところです。

日本で伝えるパラグアイ文化の魅力

アルパ奏者
ルシア塩満さん

　幼少期に家族とともにパラグアイに移住。尺八を演奏する父親の影響で、幼い頃から琴に親しんでいたルシアさんが、パラグアイの楽器アルパと出会ったのは、14才の時でした。パラグアイの魔法の指と呼ばれるクリスティーノ・バエス・モンヘスの奏でる音色に魅了されて、アルパの演奏を志すようになりました。一度日本へ帰国し、高校を卒業後に、再びパラグアイに留学し、アルパの腕を磨きました。1975年からプロのアルパ奏者として活動を始め、1985年からはアルパ教室をスタートさせます。ルシアさんは、国内を中心に数多くの演奏会を開催してきました。演奏会では、アルパの美しい音楽とともに、彼女が身につけるニャンドゥティやアオポイなどの華やかな衣装がお客様の目を楽しませてくれます。初めての演奏会では、知人の歌手が貸してくれたニャンドゥティの衣装を着たそうです。「プロになったばかりの時には、母がニャンドゥティのテーブルクロスをリメイクして衣装を作ってくれたこともあるんですよ」。その後は、完全なオーダーメイドで、何着ものニャンドゥティやアオポイの衣装を誂えました。そして、演奏会ではニャンドゥティを始めパラグアイの文化についての紹介も重ねてきたルシアさん。「パラグアイのことを知ってもらいたいと思うのは、やっぱり自分自身がパラグアイが大好きだから」。アルパの演奏と共にパラグアイへの思いを、これからもたくさん人へ届けていきます。

http://www.arpalucia.com/

ニャンドゥティのドレスを身にまとったルシア塩満さん。1985年からアルパ教室を開き、演奏活動の他にも、アルパの指導も行っている。

アルパ

　ハープのスペイン語読みがアルパです。中南米ではポピュラーな楽器で、メキシコ、ベネズエラ、ペルーでも盛んです。クラシックのハープよりも小さく、弦を指先から爪にかけて弾いて澄んだ音を響かせます。パラグアイ音楽を演奏するには欠かせない楽器です。日本でも第一人者のルシア塩満さんをはじめ、エンリケ・カレーラと松木ありささんご夫妻ら多くのアルパ奏者が活動しています。演奏会ではニャンドゥティの民族衣装が使われることも多く、アルパの表情豊かな音色・旋律と相まってパラグアイの温かい世界を楽しめます。

エリンケ・カレーラさんと松木ありささん

著者プロフィール
ニャンドゥティ作家
岩谷 みえ エレナ

　子供の頃からの念願だったニャンドゥティを習ったのは、2006年のこと。日系人の方から4年間習いました。その後は、毎年、里帰りをする度に、イタグアのニャンドゥティ職人達から教えてもらいました。職人の女性達は、毎日、午後になると帽子を被り、木枠と糸を袋に入れて、どこからともなく木の下へ集まってきます。おしゃべりをしながら、しばらく作業をしたら、夕食の支度のためにそれぞれの家へ帰っていくんです。いつも笑顔で、急がず、のんびりと楽しくニャンドゥティを作っています。直接、こうした職人たちと接する中で知ったのは、作り方だけではなく、あたたかな人柄やニャンドゥティに対する真剣な思いです。同時に、高齢化による後継者不足という問題も見えてきました。そうした状況を知れば知るほど、ニャンドゥティをもっと広めて、パラグアイのすばらしい伝統を残していきたいという私の思いも膨らんでいきました。その後、2010年からニャンドゥティ教室を始めました。ニャンドゥティは、知れば知るほど、疑問が生まれてきて難しさも感じますが、なぜだろうと新しい疑問が見つかる度に、またどんどん引き込まれていきます。

http://blog.livedoor.jp/nandy_elena/

ニャンドゥティ教室
ACADEMIA MIE ELENA

アカデミア・ミエ・エレナは、岩谷 みえ エレナのニャンドゥティの研究グループ。藤本弓子、多田泰子、中山友里子、須山知重の先生達とニャンドゥティの研究や教室を行う。ニャンドゥティ教室は、自宅教室のほか、関東のカルチャースクールなどで開催している。

ニャンドゥティ教室で指導もしている中山友里子さんの作品。。ジャスミン、ウェボ、2重の鎖の模様などのモチーフをつないで作った巾着。

ニャンドゥティ教室の最初の生徒の松木薫さんの作品。ひ孫の花鈴さんのために作ったアルパとピアノの発表会用のスカート。花鈴さんの活躍を愛情たっぷりに見守る気持ちが、明るく楽しい色調に表れているよう。

ニャンドゥティ教室の作品から

教室の先生や生徒たちが自由なアイディア、
色で作ったニャンドゥティの数々。

藤本弓子

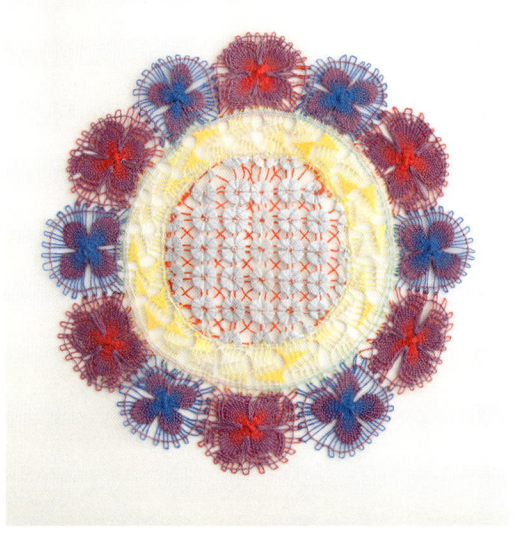

小野清美

瀧光子

瀧麻紀子

中山友里子 　　　　　　　　　　　　　　中山友里子

山口那津子 　　　　　　　　　　　　　　多田泰子

鴇田ゆかり 　　　　　　　　　　　　　　須山知重

パラグアイのニャンドゥティ情報

パラグアイを訪れて、ニャンドゥティを購入したい、習いたいという方のためのおすすめリスト。

ニャンドゥティ学校

イタグア・タバ・ニャンドゥティ
Itaguá Tava Ñandutí

P.81で紹介したチキータさん達が作ったニャンドゥティの学校。週一回程度クラスがあり参加できる。
itauguatavananduti@gmail.com

ショップ

Arte y Diseño "EM"

P.81で紹介したチキータさんがイタグアの自宅でニャンドゥティを販売。品数は多くはないが普通の店にはない素敵なニャンドゥティを扱う。
chiqui-martinezpy@hotmail.com

Artesanía Maria Cristina

ニャンドゥティ職人のクリスティーナさんがイタグアにある自宅でニャンドゥティを販売。希望すれば自宅でニャンドゥティを教えてくれる。
artesania_cristina@hotmail.com

Casa Antonia Artesanía

イタグア市の国道2号線、29.5kmの地点にある、品揃え豊富な大きなお店。
antonia.artesania@gmail.com

パラグアイのおすすめホテル

これらのホテルに宿泊すると、ニャンドゥティのお店や教室の情報を紹介してくれる。オリンポ・ホテルは、イタグア市にある。それ以外はアスンシオンにある。

オリンポ・ホテル
Olimpo Hotel & Suites

http://www.olimpohotel.com.py

ペンション・アミスタ
Pensión Amistad

http://www.pensionamistad.com/

民宿らぱちょ

http://minsyuku-lapacho.net/

ホテル内山田

http://www.hoteluchiyamada.com.py

政府関係機関

パラグアイ観光庁
Secretaría Nacional de Turismo del Paraguay

アスンシオンのパルマ通りにある観光庁の1階では、ニャンドゥティを含む各種のパラグアイのお土産や観光資料を入手できる。
http://www.paraguay.travel

国立パラグアイ伝統工芸院
Institute Paraguayo de Artesanía

パラグアイの伝統工芸の保存や発展の活動をしている国の機関。ニャンドゥティの講習会も行っている。

在日パラグアイ共和国大使館
La Embajada de la República del Paraguay en Japón

パラグアイの観光や渡航関係の情報が入手できる。
http://www.embapar.jp

日本でパラグアイ文化に親しむ

アルパ演奏家、アルパ教室
ルシア塩満

tel　03-3902-5355（オフィスアルペジオ）
http://www.arpalucia.com/

エンリケ・カレーラと松木ありさ

tel　045-777-2229（アルパスタジオ　ソンリーサ）
http://www.arpasonrisa.com/

ラテンアメリカ料理
Mama's Kitchen

パラグアイのイグアス出身のグラディスさんのお店。本格的なパラグアイ料理を楽しめる。
千葉県松戸市仲井町2-40-107
tel：047-701-5811

＊掲載の情報は2015年6月のものです。

127

著者　岩谷 みえ エレナ

パラグアイのラ・コルメナ市生まれの日系二世。日本人の夫の転勤に伴いアルゼンチンとパラグアイに暮らす。パラグアイでニャンドゥティを習得する。現在は日本でニャンドゥティの実演や教室、仲間と共にパラグアイフェスティバルの開催などを行い、パラグアイの魅力を広めることに努めている。パラグアイではニャンドゥティ職人が高齢化し後継者が少なくなりつつあるが、日本でニャンドゥティのファンが増え、流通が大きくなることが、現地での文化の継承や発展にも役立つという思いから、活動している。パラグアイの国立伝統工芸院（IPA）の認定指導員でもある。
yyeiwatani@yahoo.co.jp

協力（順不同）

Eliodora Ramos de Martinez、
Maria Cristina Pereira、
Sindulfa Pereira Delgado、
Epifania Pereira Delgado、
Gilda Gaona、
鴇田ゆかり、須山知重、山口那津子、瀧光子、瀧麻紀子、松木薫、ルシア塩満、エンリケ・カレーラ、松木ありさ、Mama's Kitchen、
在日パラグアイ共和国大使館、
パラグアイ観光庁

Paraguay
Tenés que sentirlo

素材道具提供

ディー・エム・シー株式会社
☎ 03-5296-7831
クロバー株式会社（お客様係）
☎ 06-6978-2277

スタッフ

企画、編集 ● 矢崎順子
執筆 ● 岩谷 みえ エレナ、矢崎順子
デザイン ● 橘川幹子
撮影 ● 鏑木希実子
　　　（カバー、本文P.1-5、P.21-67、P.82-98、P.127）
　　　山岡久江エステラ（P.6-19、P.68-81）
プロセス解説 ● 岩谷 みえ エレナ、矢崎順子
プロセス校閲 ● 有泉佳子（P.39-63、P.82-94）
図案イラスト ● 矢崎順子
作品制作 ● 岩谷 みえ エレナ、藤本弓子、多田泰子、中山友里子、
　　　　　小野清美、渡辺冨貴子 (p.22-38)
撮影協力 ● 佐々木健雄、岩谷薫、石川友美
翻訳協力 ● 山森サキ

伝統の模様と作り方
パラグアイに伝わる虹色のレース ニャンドゥティ
NDC 594

2015年6月17日　発　行
2023年4月10日　第 4 刷

著 者　岩谷 みえ エレナ
発行者　小川 雄一
発行所　株式会社 誠文堂新光社
　　　　〒113-0033　東京都文京区本郷3-3-11
　　　　電話03-5800-5780
　　　　https://www.seibundo-shinkosha.net/
印刷・製本　大日本印刷 株式会社

©2015,Elena Mie Iwatani.　　　　　　　　Printed in Japan

検印省略
禁・無断転載
落丁・乱丁本はお取り替え致します。

本書のコピー、スキャン、デジタル化等の無断複製は、著作権法上での例外を除き、禁じられています。本書を代行業者等の第三者に依頼してスキャンやデジタル化することは、たとえ個人や家庭内での利用であっても著作権法上認められません。

本書に掲載された記事の著作権は著者に帰属します。これらを無断で使用し、展示・販売・レンタル・講習会等を行うことを禁じます。

JCOPY <（一社）出版者著作権管理機構 委託出版物>
本書を無断で複製複写（コピー）することは、著作権法上での例外を除き、禁じられています。本書をコピーされる場合は、そのつど事前に、（一社）出版者著作権管理機構（電話 03-5244-5088／FAX 03-5244-5089／e-mail：info@jcopy.or.jp）の許諾を得てください。

ISBN978-4-416-31502-6